Las siete dietas

más efectivas y saludables del mundo

EDICIONES OBELISCO

Si este libro le ha interesado y desea que le mantengamos informado de nuestras publicaciones, escríbanos indicándonos qué temas son de su interés (Astrología, Autoayuda, Ciencias Ocultas, Artes Marciales, Naturismo, Espiritualidad, Tradición, Salud etc.) y gustosamente le complaceremos. Si lo desea, puede consultar nuestra página web en: http://www.edicionesobelisco.com

Los editores no han comprobado ni la eficacia ni el resultado de las recetas, productos, fórmulas, técnicas, ejercicios o similares contenidos en este libro. No asumen, por lo tanto, responsabilidad alguna en cuanto a su utilización ni realizan asesoramiento al respecto.

Colección Monográficos
Las 7 mejores dietas del mundo

1ª edición (cartoné): Marzo de 2002

Textos: Nora Rodríguez, Carme Roselló, Oriol Nadal, Juli Peradejordi.
Diseño y maquetación: Marta Ruescas
Portada: Marta Ruescas
Fotografías: Archivo revista Vital, Foto Click/Enric, Photodisc, Photoalto, Stock Photos, Stockbyte, DigitalStock, Corbis y Digital Vision.

Edita: Ediciones Obelisco S.L.
Pere IV, 78 -Edificio Pere IV, 4ª planta 5ª puerta
08005 Barcelona-España
Tel. 93 309 85 25
Fax. 93 309 85 23

Castillo, 540 Tel/Fax 541-14-771 43 82
14,14 Buenos Aires (Argentina)
E-mail: obelisco@airtel.net

Depósito Legal: B-8.461-2002
ISBN: 84-7720-934-0

Printed in Spain

Impreso en España en los talleres de Ferré Olsina, S.A. (Barcelona)
Viladomat, 158-160 int. 08015 Barcelona

Índice

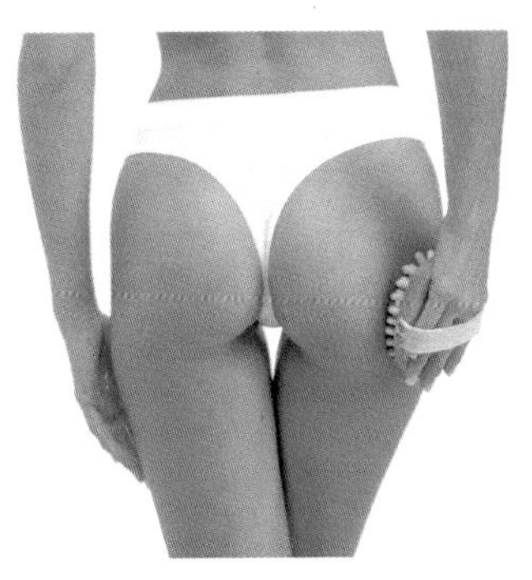

Prólogo

Si hasta ahora usted ha probado un importante número de dietas sin ningún resultado, es sencillamente porque no había existido hasta el momento ningún libro que fuera capaz de ayudarle de manera eficaz a encontrar exactamente la dieta que necesita. Sí, existen multitud de dietas y muchas de ellas son presentadas como la mejor y la inigualable, la «dieta mágica». De hecho, el grave error de muchas dietas –que probablemente usted ha seguido hasta ahora– consiste en creer que ellas constituyen en sí mismas «fórmulas mágicas» cuando de hecho, **la «dieta mágica» no existe**. Sin embargo sí que está bien demostrado 1) que cada organismo requiere de unos cuidados específicos y muy diferentes de los de otras personas y 2) que unas dietas son claramente más efectivas que otras.

En este libro podrá encontrar las Las siete dietas más efectivas y saludables del mundo, no sólo por sus resultados comprobados, sino porque usted las podrá acomodar según la situación que más le convenga, ya que algunas de ellas son fáciles de adaptar tanto si usted se encuentra de vacaciones como si está en un intervalo laboral y necesita de menús de restaurante. Resulta obvio que desde el momento en que tiene este libro en sus manos es porque sabe mejor que nadie lo importante que resulta mantenerse sano y con energía, y, por qué no, sentirse elegante y atractiva. Pues bien, el hecho de **seleccionar la dieta que más se adecue a sus intereses** y a sus comidas preferidas posibilitará que la pueda poner en práctica **con libertad, sin agobios ni malos ratos**. Ninguna de las que aquí proponemos es para que padezca o sufra, sino para que con placer consiga esa «nueva imagen» tan deseada.

Aquí encontrará **7 dietas comprobadamente saludables y efectivas**. De cada una de ellas podrá conocer los principios básicos, los pasos a seguir, los alimentos adecuados y, sobre todo, planes concretos de desayunos, almuerzos y cenas. Todo ello acompañado con tablas y cuadros de calorías, grasas, proteínas, pesos adecuados, etc. Finalmente, un recuadro de valoración de cada dieta indicando el tiempo que deberá emplear para seguir la dieta así como cuáles son sus aspectos más positivos y cuáles los negativos.

La elección de la mejor dieta

220
240
260
280
180
20
160
140
40
120
60
80

¿Por qué adelgazar cambia la vida?

En primer lugar, sea cual fuere la dieta por la que se decida, tenga en cuenta que necesitará de un control médico desde el inicio del programa hasta el final.

En algunas de estas dietas, por ejemplo, se recomienda especialmente controlar los triglicéridos; en otras, los niveles de colesterol o el azúcar en sangre. Aunque no es necesario que realice más controles de los normales, ¡no deje de hacerlo! Usted puede explicarle a su médico que ha decidido seguir un programa dietético porque éste concuerda con determinadas necesidades suyas, con sus apetencias alimenticias o con su ritmo de vida.

Hábitos que influyen en la nutrición

Piense que el organismo es mucho más que una máquina capaz de funcionar sólo con ciertos parámetros reducidos. Sus emociones, su psicología y sus hábitos influyen también en sus deseos de comer tanto como en sus ciclos de inapetencia o en el acto de elegir un alimento en lugar de otro.

SABOR, AROMA Y COLOR

El sabor, el aroma, el color con que prepare sus platos y la textura de los alimentos que lleve a su paladar serán, en este sentido, determinantes.

FORMAS DE COCCIÓN Y ADEREZOS

Ya en los años sesenta, científicos de EEUU se encargaron de demostrar que la forma de cocción de los alimentos, como los aderezos que utilizamos cuando somos adultos –entre otros atributos–, se hallan íntimamente ligados a aspectos culturales y formas educativas provenientes de nuestra infancia. ¿Cómo privarnos entonces de aquellos platos cuyo aroma y sabor nos recuerdan algún momento grato de nuestra niñez? En efecto, éste es otro de los motivos que usted deberá considerar a la hora de seleccionar su dieta preferida, a fin de que ella no se torne terriblemente aburrida.

«realizar una dieta no equivale a hacer un sacrificio, sino más bien un aprendizaje»

LA IMAGEN CORPORAL DE UNO MISMO

Pero como evidentemente la imagen corporal también juega un papel fundamental en su decisión de adelgazar, deberá comenzar a pensar que ésta constituye otra cuestión sobre la que usted también deberá meditar. En primer lugar, sepa que no siempre la imagen corporal que usted tiene de sí es la misma que ven los demás. Aunque si bien su personalidad o la alternancia de las modas pueden «tapar» algunos defectillos, es probable que usted sea de esas personas que se colocan en una «pose» determinada cuando se miran –de cuerpo entero– frente al espejo. O que sencillamente «pasan rápido» ante uno que abarque todo su cuerpo, mientras se detiene más tiempo frente a uno en el que sólo pueda verse el rostro o sus zonas más favorecidas.

Siga una dieta pero ¡con libertad!

Sin embargo, ¿no le gustaría sentirse más libre frente a él? Claro que sí. Pero para ello, debe pensar –en primer lugar–, que realizar una dieta no equivale a hacer un sacrificio, sino más bien un aprendizaje.

En efecto, hasta ahora, posiblemente, su modo de comer ha estado estrechamente unido a su modo de pensar o de vivir. Incluso sus gustos en general –tanto como sus preferencias particulares– se han adaptado a su ritmo de trabajo, el tiempo que dedica a sus amistades, a sus horas de ocio, etc., por lo que es justamente esto lo que usted tal vez modificará de algún modo.

Los hábitos que ha desarrollado a lo largo de su vida están directamente relacionados con su nutrición, con lo que ésta es justamente una de las causas fundamentales en que la mayoría de los libros sobre dietas se equivocan cuando afirman que «usted no cambiará de vida», si es que realiza tal o cual régimen alimenticio.

En este sentido, muchos científicos sostienen en la actualidad que cuanto nos llevamos a la boca está condicionado por nuestros cambios emocionales, físicos, y hasta de humor. Tenga en cuenta que la cantidad de alimentos que usted ingiere no siempre son adecuados o proporcionales a su hambre. Muy por el contrario, tal como se ha demostrado, cuando se trata de un problema de obesidad –o de unos pocos kilos de sobrepeso–, el acto de comer es la mejor

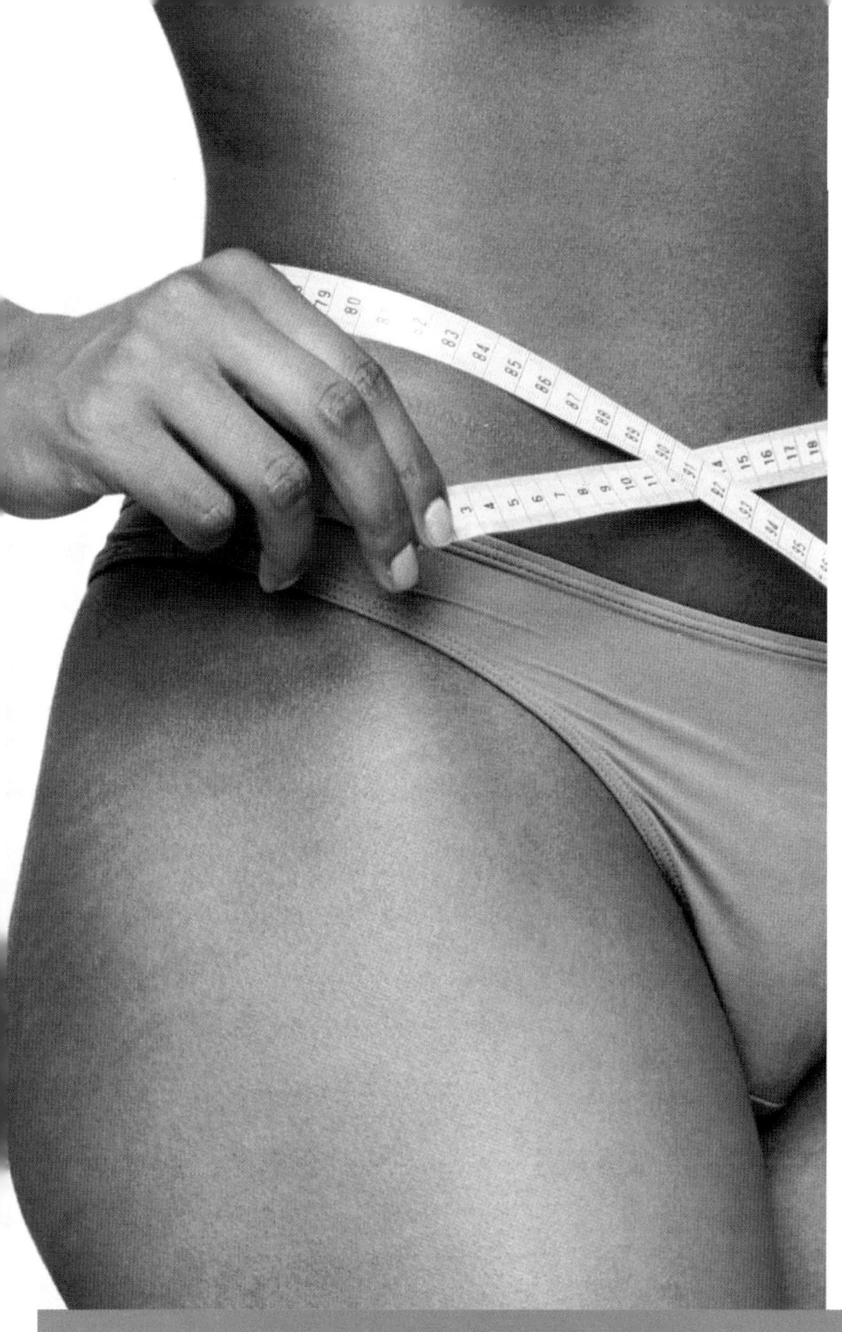

forma que muchas veces se tiene de «llenar un hueco» –que puede ser tanto afectivo, como profesional, etc. Pero si a eso usted le suma el cansancio, la pesadez y el estado abúlico que originan los kilos de más, ¡es urgente que seleccione una de ellas!

3 consejos antes de elegir la dieta

1 **USTED DECIDE.** Sólo usted decidirá el tipo de vida que quiere llevar y la dieta que más le convenga. Obviamente, busque aquella que le proporcione más energía, y que al mismo tiempo le ayude a prevenir futuros problemas digestivos.

2 **DESCONFIE DE LAS FÓRMULAS MÁGICAS.** Las «fórmulas mágicas» que se venden a diario, sugieren siempre el eslogan «¡usted puede adelgazar rápidamente!» Pero nada más lejos de la realidad: una dieta es siempre un proceso, un camino que usted ha elegido por propia convicción, donde vencer el impulso de ingerir desmesuradamente o alimentos que bajan su nivel energético desaparecerá por completo.

3 **OLVÍDESE DE LA BÁSCULA** durante los primeros quince días de haber seleccionado e iniciado su dieta. La dependencia psicológica que mucha gente tiene con las variables de su peso, hace que desistan de cualquier proceso dietético incluso apenas iniciado. Son muchos los factores que inciden en el aumento o la disminución del peso y, en un mismo día, pueden variar de dos a tres kilos más allá de lo que usted ingiera.

¿Cómo elegir la dieta correcta?

Antes que nada usted debe reconocer que, aunque en estos instantes asegure encontrarse bien, existen a lo largo de su día momentos de fatiga, de tensión, de depresión e irritabilidad. Tampoco es raro que la gente que vive probando una y otra «dieta mágica» haya comenzado a sufrir taquicardias esporádicas, jaquecas, mareos o, simplemente, ataques de ansiedad descontrolados. Esto es, sin lugar a dudas, la prueba de que «algo anda mal», ya que no siempre se trata de problemas psicosomáticos, ni necesariamente se debe a «sus nervios».

Muchas veces se trata específicamente del «combustible alimentario» que usted aporta a su organismo y a su cerebro.

La pauta que aquí le proponemos es, en primer lugar, que usted lea atentamente las siete dietas, comprendiendo cuál es la propuesta energética de cada una de ellas. La dieta más saludable para usted será aquella que considere que le proporcionará –mejor que otras– las herramientas necesarias para que no se sienta agobiado y sin placer.

En esta «experiencia de aprendizaje alimenticio», lo primero por lo que deberá preocuparse es por mejorar su nivel energético y, en segundo lugar, su peso. Quizá se esté preguntando el porqué. Muy sencillo: porque estará previniendo un futuro atracón de comida. No olvide que se come demasiado en los momentos «malos», no en los de placer. Procu-re, al leer cada una de las dietas, reconocer cuál le será más fácil de seguir. ¡De seguir, no de probar!

Guía práctica para la elección de «su dieta»

La siguiente guía le ayudará en la elección, aunque le sugerimos leerla nuevamente después de haber comprendido el sistema que proponen las siete dietas más efectivas del mundo.

1. ¿Qué alimentos de los permitidos en las dietas me apetecen más?
2. ¿Estaría dispuesto/a a pesar gramos de alimentos para trazar correctamente un plan de trabajo?
3. ¿Me conviene más un tipo de dieta que me permita comer de todo pero con la salvedad de que debo conocer bien mis ritmos de hambre?
4. ¿Es una dieta ya confeccionada la que menos me complicaría la vida a causa de mi ritmo diario?
5. ¿Deseo seguir una dieta más lenta pero que me enseñe realmente a cambiar mis defectos nutritivos?
6. ¿O prefiero una dieta rápida y de visibles resultados en poco tiempo?
7. ¿Padezco algún problema de salud, por lo que no puedo ingerir hidratos de carbono, proteínas o grasas?
8. ¿Necesito una dieta especial porque soy una persona muy activa?
9. ¿Me encuentro más cómoda/o ingiriendo pocas calorías?
10. ¿Estoy dispuesto/a aprender algo más sobre nutrición y mis ritmos alimentarios?

Conceptos básicos sobre nutrición

Elementos nutritivos esenciales

PROTEÍNAS

Son las encargadas de proveer los aminoácidos necesarios para producir enzimas –necesarias para regular los procesos del organismo–, anticuerpos –para luchar contra las enfermedades–, y células de crecimiento, mantenimiento y restitución de los tejidos.

CARBOHIDRATOS

Constituyen una fuente esencial de energía. El organismo quema carbohidratos antes que proteínas –a las que guarda como reserva–. Existen carbohidratos complejos tales como frutas, vegetales y granos, y carbohidratos simples tales como el azúcar y el almidón.

GRASAS

Suministran la mayor fuente concentrada de energía, al tiempo que protegen a muchos órganos vitales constituyéndose así como «aislantes».

Se consideran **«elementos nutritivos esenciales»** aquellas sustancias que resultan imprescindibles para el organismo en proporciones adecuadas. Para que esto suceda, usted puede estar cometiendo un grave error cada vez que «salta» alguna comida, si no lleva un adecuado balance de ellas. En todas las dietas que aquí le proponemos, verá cómo y por qué debe realizar al menos cinco comidas diarias, aunque el tipo de ingesta que usted realice sea acorde a las pautas de esa dieta determinada que habrá seleccionado.

VITAMINAS

De ellas –y de lo minerales– dependen todas las reacciones químicas de nuestro organismo, desde el metabolismo hasta el crecimiento. Tanto si se hallan en una gran proporción como si se

carece de alguna de ellas, puede producirse un desequilibrio nutricional a muchos niveles.

«la mejor forma de encontrar la vitamina C es en el consumo de cítricos»

Vitamina A

Es muy fácil padecer de esta deficiencia vitamínica. Es básica para los procesos de crecimiento, para la piel y para las mucosas. También ayuda a prevenir la sequedad de la piel y el cabello. Se encuentra en las hortalizas de hoja, queso y huevos.

Vitamina B

B1: Resulta esencial para el funcionamiento del sistema nervioso central. Su deficiencia afecta la capacidad de concentración, la memoria, el estado anímico y la facultad de percepción. Se encuentra en los cereales, carnes rojas, aves, pescados y legumbres.

B2: Su deficiencia produce inflamación y agrietamiento de los labios, así como también lengua inflamada y roja. Se la encuentra en quesos, huevos, carnes y hortalizas de hoja.

B3: Es la vitamina antifatiga por excelencia. Ayuda además a elevar los azúcares de la sangre en casos de hipoglucemia.

B6: Es la vitamina que más se destruye al procesar los alimentos. Juega un importante papel en el metabolismo de la grasa y el colesterol. También impide la formación de cálculos renales. Previene la caída del cabello y las úlceras. Se la encuentra sobre todo en las carnes.

B12: Evita los estados de anemia. Participa en la formación de capas de fibras nerviosas. Se encuentra en las carnes, el pescado, los huevos y el queso.

Vitamina C

Resulta esencial para la formación de tejido conectivo –denominado colágeno–. También es un

importantísimo agente desintoxicante porque ayuda a eliminar la acumulación de metales tóxicos. Ella es al mismo tiempo la encargada de neutralizar los efectos producidos por el tabaco y de reducir el colesterol. Resulta fundamental para combatir la fatiga y reducir la ansiedad, además de ayudar en los procesos respiratorios y alérgicos. La mejor forma de encontrarla es en el consumo de cítricos.

Vitamina D

Contribuye a la formación de los huesos y los dientes. Resulta vital para la salud del sistema nervioso y para el sistema cardiovascular. No puede dejarse de considerar a la vitamina D sin tener en cuenta el calcio y el fósforo, ya que de ella depende la adecuada proporción de estos minerales en el organismo.

Vitamina E

Ayuda en la cicatrización de heridas, previene las enfermedades cardíacas y resuelve casos de impotencia sexual. Debe consumirse con precaución si hay antecedentes de fiebre reumática o alta presión sanguínea.

Vitamina K

Ayuda en los procesos de coagulación, por lo que su exceso también es nocivo. Se la encuentra en los vegetales verde oscuro, en la yema de huevo y en el hígado.

«la vitamina B12 evita los estados de anemia y ayuda en la formación de fibras nerviosas»

«si se tiene déficit de calcio, el organismo se lo robará a los huesos»

MINERALES

Se involucran especialmente en la formación de las estructuras del cuerpo, en el metabolismo y en la producción de energía.

Calcio

Es el elemento más abundante del cuerpo. Si se tiene algún déficit en ese aspecto, el organismo se lo robará a los huesos. La leche es el mejor alimento en este sentido, también el queso, la ricota, el salmón, los mariscos y el brócoli.

Hierro

Resulta esencial para la formación de hemoglobina –que es quien transporta el oxígeno a los glóbulos rojos–. A pesar de su «buena fama», muchas personas sufren su deficiencia –debilidad, mareos, depresión y fatiga–. Se encuentra especialmente en las lentejas, el pescado, las nueces, las hortalizas de hojas y las frutas.

Fósforo

Es esencial en las reacciones químicas relacionadas con la liberación de combustible energético. Se encuentra en las carnes, el pescado, algunos quesos y nueces.

Potasio

Este mineral colabora con los nervios en el envío de mensajes y la ayuda a las enzimas digestivas. También ayuda a asegurar el buen funcionamiento de los músculos, incluido el corazón, además de promover la liberación de la energía proteica, los carbohidratos y las grasas. Las mejores fuentes de potasio son las patatas, las alubias, las espinacas y las zanahorias.

Magnesio

Tal como sucede con el calcio, este mineral interviene en la formación de la estructura ósea. No deberá evitar –si su dieta se lo permite– la ingestión de algunos de estos alimentos: huevos, carnes, nueces, mariscos, pescados de agua salada, verduras verde oscuro y semillas.

Manganeso

Este es otro mineral que también se relaciona con la formación de huesos y cartílagos, además de desempeñar un importante papel en la producción de proteínas, carbohidratos y grasas. Su deficiencia se manifiesta con una pobre coordinación muscular, un bajo ritmo de la función cerebral, problemas de tolerancia de glucosa y una pobre formación del esqueleto y los cartílagos.

Yodo

Es fundamental para el buen funcionamiento de la glándula tiroides.

Cobre

Es esencial en varias reacciones enzimáticas. Su exceso produce insomnio, depresión y jaquecas. Se lo encuentra en las carnes, los mariscos y las nueces.

Sodio, potasio y cloro

Están presentes en casi todos los alimentos y rara vez se carece de ellos. Sin embargo, esto puede ocurrir si se padecen vómitos o diarreas frecuentes, deshidratación o trastornos renales.

Cinc

Es el más importante de los microminerales. Forma parte de unas dos docenas de enzimas. Al eliminar el cinc en los alimentos mediante los procesos de enlatado y refinado, su deficiencia es muy probable. Se lo encuentra especialmente en la yema de los huevos y en las hortalizas.

Selenio

Junto con la vitamina E ayuda en el crecimiento y en la función metabólica. Se encuentra en el germen de los cereales y en vegetales tales como la cebolla y el brócoli.

Boro

Es fundamental para el metabolismo de los minerales y se encuentra en los tomates, los pimientos verdes y otros vegetales.

Cromo

Contribuye en la transformación de los carbohidratos en energía y es imprescindible para estabilizar el azúcar en la sangre. La ingesta de vegetales es fundamental en este aspecto.

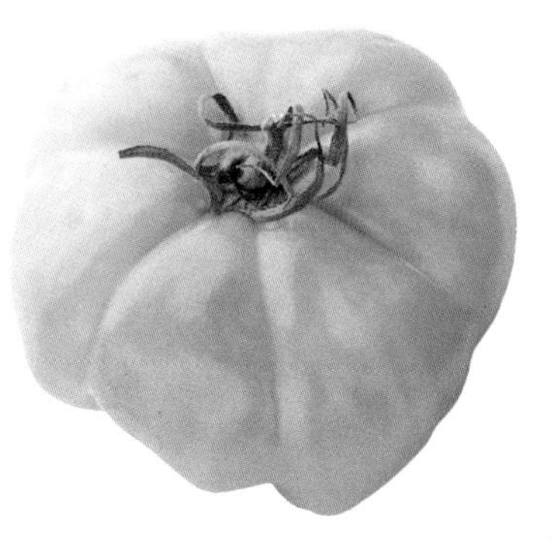

¿Qué conceptos básicos sobre su alimentación deberá tener en cuenta?

«las proteínas se encuentran en los tejidos animales, en el huevo y en la leche y sus derivados»

LAS PROTEÍNAS

Se encuentran en los tejidos animales, en el huevo, la leche y sus derivados. Contienen los ocho aminoácidos esenciales para el organismo. A estas proteínas las denominaremos «completas», mientras que las que se hallan en las plantas no poseen esta propiedad. La excepción dentro del reino vegetal es la soja, que posee proteínas tan válidas como aquellas que se hallan en el reino animal.

Proteínas de la carne

La carne de ternera es la que tiene mayor valor proteico. La más digerible de todas es la carne de conejo, a la que le siguen la de pollo, cordero y cerdo. El pescado y los moluscos son de un gran valor proteico pero es recomendable diferenciar los «pescados blancos» –de bajo contenido en grasa– y los «pescados azules», de alto contenido en grasas.

Proteínas de los huevos

Son casi tan numerosas como las de la carne. Es obvio que un par de huevos duros siempre serán más sanos que fritos por su menor contenido de grasa. Un huevo que pese entre 55 g y 66 g, contiene 13 gramos de proteínas.

Leche, yogur y quesos

La leche es quizás el alimento más económico y completo. Por cada 100 g de leche hay 3,10 g de proteínas, aproximadamente una cuarta parte de un huevo. El yogur, por su parte, tiene casi las mismas proteínas que la leche por cada 100 g. Finalmente, los quesos, según su cantidad de grasa, se distinguen en grasos, semigrasos y ligeros. He aquí la lista de algunos

quesos y su valor proteico por cada 100 g: Gruyére, 30,60 g; requesón (de leche de vaca), 7,60 g, (de oveja), 9,50 g; parmesano, 35,50 g; emmenthal, 28,50 g.

LAS GRASAS

Desde el punto de vista energético son fundamentales como fuente de energía, aunque es necesario recalcar que resultan menos digeribles que el resto de los alimentos. Cuando las grasas se cuecen, resultan bastante tóxicas para el organismo, generando un tipo de digestión mucho más trabajosa y lenta. Sin embargo, no sólo no resulta beneficioso privarse de ellas sino que éstas deben ser aumentadas durante el invierno. Existen dos tipos de alimentos que contienen grasas.

Mantequilla y margarina

La mantequilla es la que mejor se digiere respecto al resto de las grasas. Durante el período de la adolescencia está en extremo indicada por las necesidades de crecimiento, no así durante la tercera edad.

La margarina, por su parte, por ser una grasa de origen vegetal, no contiene las vitaminas A y D –que deben ser agregadas–, y también resulta menos asimilable durante el proceso digestivo. Sin embargo, desde el punto de vista de las calorías, contiene hasta ocho calorías menos por cada gramo de manteca.

Aceites

También de origen vegetal, se recomienda el aceite de oliva sobre cualquier otro. De todas formas, sea cual fuera la clase de aceite que se prefiera consumir, por su sabor o aroma, nunca los utilice para freír los alimentos, ya que se generan partículas tóxicas para el organismo. Recuerde que siempre es más saludable usarlos como aderezo.

LOS AZÚCARES

El azúcar que el organismo utiliza se llama glucosa, que lo extrae de los azúcares complejos. Este azúcar es muy fácil de digerir y es empleado por el organismo –entre otras funciones– durante la contracción muscular, tanto como para producir una reducción del aporte proteico. También la fructosa, proveniente de las frutas y de la miel, es asimilada rápidamente por el torrente sanguíneo.

«las grasas son fundamentales como fuente de energía»

LOS VEGETALES

El grupo de los vegetales se compone de: legumbres, hortalizas, verduras y frutas.

Legumbres

Poseen vitaminas y sales minerales en grandes proporciones, además de facilitar gracias a la fibra un mejor funcionamiento de los movimientos peristálticos del instestino. También son beneficiosas para contrarrestar la excesiva acidez del estómago y por su función purificativa y diurética. Entre ellas, las arvejas, las habas, las lentejas, los garbanzos y las alubias son las más recomendadas.

Verduras

La lechuga, las espinacas, las alcachofas, los tomates, las berenjenas, el hinojo, las zanahorias, los espárragos, las patatas, las cebollas, el ajo y el repollo, se constituyen no sólo en las verduras preferentes y de mayor consumo, sino en las más ricas por su alto contenido de minerales y en vitaminas A y C. El repollo, por su parte, está muy recomendado en quienes tienen carencia de vitamina B1 y B2.

Frutas

Las manzanas, las peras, el melocotón, las cerezas, las grosellas, las frutillas, las naranjas, la sandía, el plátano, las uvas, las avellanas, las nueces y las castañas son, por sí solas, una excelente elección nutritiva. De todas formas, a la hora de elegirlas, selec-

cione aquellas que vea que no hayan sido golpeadas y lo más ecológicas posible. El realizar una comida sólo de frutas puede ser una elección muy interesante y nutritiva.

Los frutos secos como las avellanas, las nueces o las castañas, además de tener un alto poder calórico, aportan al organismo un importante número de nutrientes comparable al de los quesos grasos.

«realizar una comida sólo de frutas puede ser una elección muy interesante y nutritiva»

«el agua es la bebida más aconsejada por todos los dietistas»

LAS BEBIDAS

Tanto en medio de una comida como antes o después de ella, los seres humanos ingerimos distintos tipos de bebidas que, tras un largo proceso metabólico, eliminamos a través de la excreción de la orina y el sudor.

En condiciones físicas y orgánicas normales, cada organismo pierde alrededor de 2,5 litros de agua diarios, según la siguiente proporción: 1,5 a través de la orina y, 1 por el sudor, el intestino y el pulmón.

Agua

Es la bebida más aconsejada por todos los dietistas. Su acción diurética, gracias a sus componentes minerales, tales como el calcio, es de gran ayuda para el sistema urinario. Si usted decide realizar una dieta, es aconsejable beber aproximadamente de tres a cuatro litros de agua diariamente, ya que en el recorrido de «limpieza» por el sistema urinario su acción antibacteriana y antiinflamatoria evita posibles afecciones causadas por el cambio en la alimentación.

Vino

Si bien las bebidas alcohólicas están prácticamente prohibidas en las dietas, ésta constituye –en algunos casos– una de las bebidas permitidas a causa de su efecto diurético y su rápida eliminación. La dosis recomendada puede oscilar de uno a dos vasos pequeños por día.

Cerveza

Considerada un alimento por excelencia, conviene elegir siempre la que carece de alcohol, aunque se ha comprobado que la acción del lúpulo y el alcohol es beneficiosa para el aparato gastrointestinal. La dosis máxima no supera el medio litro diario.

Whisky

Es una de las bebidas alcohólicas de mayor efecto dilatador. Ha sido especialmente indicado en aquellos casos en que los enfermos padecían angina de pecho o infarto de miocardio –con una dosis no superable de un tercio de vaso diario. De todas formas, suele ser una de las bebidas prohibidas en las dietas.

Refrescos

Todos ellos están considerados como perturbadores de las dietas. En primer lugar, porque muchas bebidas denominadas «colas» no presentan claramente en qué consisten sus fórmulas. En segundo lugar, porque las bebidas con gas añadido retrasan los procesos digestivos al tiempo que producen hinchazón.

Café

Por estar compuesto básicamente de un alcaloide, la cafeína, sus efectos sobre el organismo son variados, aunque repercute especialmente en el aparato circulatorio, el sistema nervioso, el aparato urinario y el aparato respiratorio.

Una pequeña tacita de café natural –no torrado con azúcar– estimula los impulsos nerviosos y ayuda así a incentivar la imaginación y la asociación de ideas. Sin embargo, si bien estimula el trabajo intelectual –con una disminución del cansancio y la fatiga–, sobrepasar la medida indicada –1 tacita que equivale a 10 g de cafeína– puede producir sobreexcitación e insomnio, entre otros sínto-

Las siete mejores dietas del mundo

Presentación

Como ya se ha explicado, las 7 dietas más eficaces han sido seleccionadas por sus resultados, es decir, por su efectividad. Pese a ello también ha habido otros factores por los cuales son éstas y no otras las que usted descubrirá en este libro. He aquí una primera aproximación a cada una de ellas.

1. La dieta del Dr. Atkins

Esta dieta revolucionaria en la década de los setenta y de los ochenta ha logrado desde entonces cautivar tanto a un importante número de pacientes obesos como a quienes sólo deseaban perder unos kilos. Si bien con este sistema usted podrá ingerir grasas, deberá controlar muy especialmente el consumo de carbohidratos.

(págs. 32-39)

2. La dieta vegetariana

Más que una dieta, podría asegurarse sin lugar a dudas que se trata de un modo nutricional cuyo efecto sobre los síntomas de la obesidad son muy amplios. El hecho de no ingerir grasas de origen animal ni productos preelaborados o conservados durante largos períodos, permite generar pocas toxinas en el organismo previniendo de este modo la desregulación metabólica.

(págs. 40-49)

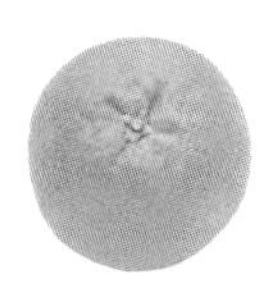

3. La dieta médica del Dr. Scardale

(*págs. 50-57*)

En este caso, usted podrá bajar de peso con mayor rapidez al controlar la cantidad de calorías que ingiere. Es una dieta que funciona muy bien para quienes tienen poco tiempo para comer, haciéndolo de un modo sano y equilibrado.

4. La dieta programada «Lean Body» de Cliff Sheats

(*págs. 58-71*)

Es la dieta más famosa de los años noventa. Si usted decide seguir este plan alimenticio deberá pensar también en los beneficios que le aporta la gimnasia y el deporte. Es una dieta muy aconsejable para los deportistas o para aquellas personas que mantienen constantemente una fuerte actividad física.

5. La dieta de la combinación de alimentos del Dr. H. Shelton

(*págs. 72-85*)

Con ella usted podrá comer todo tipo de alimentos, aunque deberá constantemente vigilar cómo los combina. De todas formas, no se preocupe demasiado por esto, el hábito de combinarlos con habilidad se aprende muy rápidamente, a lo que también contribuye su paladar.

6. La dieta amucosa del profesor Arnold Ehret

Tal como en el caso de la dieta vegetariana, la dieta amucosa corrige ampliamente muchos aspectos de su salud, al tiempo que facilita una importante pérdida de peso. Consiste tanto en un aprendizaje nutricional como en un mayor conocimiento de sus procesos orgánicos.

(págs. 86-93)

7. La dieta intuitiva

Evidentemente, ésta se constituye en una «dieta global», ya que implica conocer otros mecanismos que van más allá de lo puramente orgánico. Con este plan usted podrá ingerir todo tipo de alimentos, pero conociendo cuál es su nivel de saciedad. El «comer con intuición» es posiblemente la dieta del siglo XXI.

(págs. 94-105)

La dieta del Dr. Atkins

Según su visión, una buena nutrición es mucho más que administrar vitaminas y minerales adecuados, exige del individuo lograr la mejor ingestión de alimentos para «su metabolismo».

En este sentido, las tres sustancias básicas para el Dr. Atkins son: las proteínas, las grasas y los hidratos de carbono. Las primeras, las que contienen nitrógeno, proporcionan los bloques de edificación esenciales para los órganos vitales, el tejido muscular y las sustancias químicas del cuerpo. Ingeridas por encima de estas necesidades, se convierten en grasas e hidratos de carbono.

Las grasas, por su parte, constituyen la principal forma de almacenaje del combustible metabólico. Estos combustibles se liberan cuando los depósitos de grasa son quebrados con el objetivo de proporcionar una mayor energía. Las proteínas y las grasas –como se ha explicado en la primera parte del libro–, están en la carne y en los alimentos ovolacteos.

Los hidratos de carbono, que proceden sobre todo del reino vegetal, otorgan un porcentaje muy alto de «combustible metabólico». Ellos se disuelven rápidamente para formar glucosa pero, como el organismo tiene sus propios medios para producir esta última, **los hidratos de carbono son el único nutriente que no será conveniente proporcionar en esta dieta.** Por lo que los alimentos permitidos en ellas están sobre todo basados en las proteínas y las grasas.

Por lo demás, aquí usted podrá elegir si

1- Lo que necesita es una dieta para reducir peso
2- Lo que pretende es mantenerse en su peso ideal.

Graduado en la Universidad de Michigan y en la Facultad de medicina de Cornell University, el Dr. Atkins, uno de los más importantes especialistas en nutrición y dietética, ha cambiado los hábitos de comer de muchas personas basando su práctica en los procesos metabólicos de la nutrición.

Dieta para reducir peso (9 pautas claves)

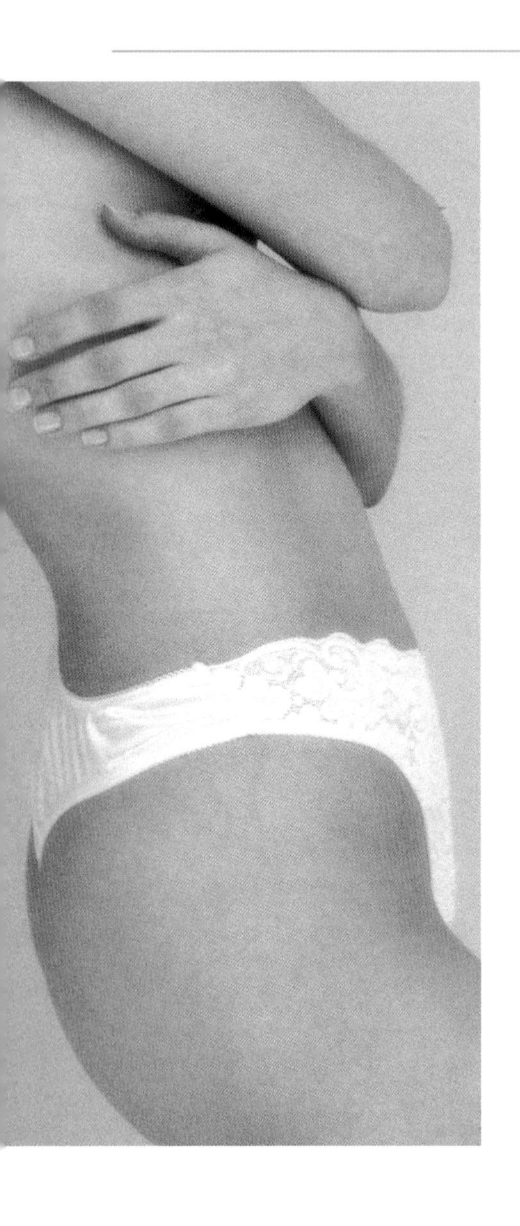

1 En la primera semana sólo podrá probar los alimentos permitidos. Si desea probar uno que no esté en la lista, tenga en cuenta que puede tener un alto contenido de hidratos de carbono o de alcohol. Con lo cual: ¡olvídelo!

2 Usted puede comer la cantidad que desee de los alimentos permitidos, limitando las cantidades según sus síntomas de hambre. Podrá comer las proteínas que desee. Si le apetece, puede iniciar su jornada con huevos y beicon, o tomarse una hamburguesa con queso –sin pan, lógicamente–. Su almuerzo podrá ser de ensaladas o de un cóctel de gambas, o un filete. También recuerde que con esta dieta están permitidas las grasas y los aderezos de ensaladas tales como el roquefort, el aceite, el vinagre, la mayonesa o la crema de ajo, por ejemplo. Tampoco, como verá en la lista, está prohibido ningún tipo de queso.

3 Comience por seis pequeñas comidas al día, dejando pasar entre cada una de ellas entre tres y cuatro horas.

4 Desayune cada día. Se trata de una comida importante.

5 Evite el azúcar y la harina. Lea bien todas las etiquetas ya que no se admite nada que contenga azúcar o carbohidratos de almidón refinados. El azúcar no es un alimento de gran valor energético, ya que a largo plazo agota la energía y engorda más que las grasas. Tampoco lo consuma en sus formas encubiertas tales como: sacarosa, dextrosa, glucosa, lactosa, fructosa, sorbitol, manitol, dextrinas, jarabe de cereal, azúcar moreno, «endulcorantes naturales» ni «endulcorantes nutritivos».

6 Reduzca la ingestión de cafeína, como la contenida en el café o en las bebidas con cola. (Sólo podrá beber tres cafés por día.)

7 El alcohol actúa como un carbohidrato, impidiendo la movilización de grasa y su consecuente reducción. Durante la primera semana, usted deberá abstenerse por completo de él.

8 Realice un poco de ejercicio diario.

9 Consulte con su médico antes de empezar, y cada cierto tiempo una vez comenzado el tratamiento.

PRIMERA SEMANA

Alimentos permitidos

Carnes rojas: Filetes, costillas de cordero, costeletas de cerdo, lengua a la vinagreta, jamón, hamburguesas preparadas en casa sólo con carne y huevos, embutidos frescos. (Está totalmente prohibido probar vísceras tales como hígado, riñones, etc. –tampoco en patés–, como así también los embutidos preparados, los frankfurt, las albóndigas o los embutidos empaquetados.)

Aves: Pato, pavo, pollo y codorniz, pero sin relleno.

Pescados: Salmón, atún, langostinos, gambas o cangrejos. (Siempre deberán cocinarse sin harinas ni rebozados.)

Huevos: Fritos, escalfados, revueltos.

Quesos: Todos, aunque la primera semana es conveniente dejar a un lado los de untar.

Condimentos: Sal, pimienta, mostaza, rábano picante, vinagre.

Bebidas: Agua con o sin gas, zumo de limón, infusiones de hierbas. Té y café con instrucciones específicas.

Sopas: Caldo de pollo.

Grasas: Margarina, mantequilla, aceites y mayonesas en cantidades prudentes. También puede agregar cuatro cucharaditas de nata por día, ya que ésta tiene menos hidratos de carbono que la leche.

Frutas: Ninguna, a excepción del zumo de limón.

Verduras: Sólo podrá comerlas después de la primera semana.

Ensaladas: Dos raciones pequeñas de cualquier vegetal de hoja verde: apio, cebollines, col china, pepinos, endivias, espinacas y berros.

Otros: Tocino, jamón, queso, pepinos en vinagre, olivas (no más de seis).

«esta es efectiva porque moviliza la grasa, ayuda a eliminar el hambre y a eliminar el exceso de agua»

Alimentos prohibidos (algunos)

Arroz	Galletas	Macarrones	Pasteles
Azúcar	Gelatinas	Maíz	Patatas
Caramelos	Guisantes	Maizena	Pepinos dulces
Cereales	Harina	Mermeladas	Plátanos
Chicle	Helado	Miel	Salsas dulces
Dátiles	Higos	Pan	Uvas; uvas pasas
Frutas secas	Judías	Pastas	Yogur endulzado

(Nota: Esta primera semana es una dieta de 0 carbohidratos. Si desea otro tipo de alimentos consulte la tabla de final de capítulo. Recuerde que la 1ª semana no podrá superar los 10 g por día.)

Aspectos positivos de esta dieta

Es un plan alimenticio que le permitirá bajar rápidamente los primeros kilos y, con más lentitud, los últimos. Una buena idea para que lo segundo no suceda de ese modo consiste en variar los alimentos.

Aspectos negativos de esta dieta

Deberá prestar especial atención a las posibles subidas de colesterol y al correcto equilibrio de los triglicéridos. Si bien el creador de esta dieta afirma que esto es prácticamente imposible que suceda, nosotros le sugerimos que no extienda este ritmo de alimentación por más de tres meses, si no sigue un control médico. Tampoco la inicie si usted es hipertenso, padece de gota o de alguna afección cardíaca, sin consultar con su especialista.

SEGUNDA SEMANA

En esta segunda etapa podrá incluir unos cinco gramos más de carbohidratos, es decir, que podrá ingerir de 15 a 20 gramos diarios. Lea la lista al final del capítulo y combínelos como le apetezcan.

TERCERA SEMANA (y siguientes)

Igual que en el caso anterior, podrá ingerir 5 gramos más que en la segunda semana de su régimen alimenticio. En las sucesivas semanas, seguirá la misma pauta hasta llegar a su peso ideal. Si después de alcanzar el peso deseado, usted prefiere comer algo fuera de lo permitido en la dieta, recuerde que sólo le bastará luego con realizarla estrictamente durante una semana.

¿PORQUÉ FUNCIONA ESTA DIETA?

Si se ha preguntado por qué funciona esta dieta pudiendo comer muchas cosas que nos apetecen, recuerde que el 90% de la energía que tenemos almacenada en nuestro organismo está en forma de grasa. Al reducir los hidratos de carbono, conseguimos que el cuerpo utilice esa grasa de reserva como combustible, liberando de este modo la que excede. En una dieta común, aproximadamente la mitad de la energía procede del almidón y del azúcar, mientras que la otra mitad procede de las proteínas y las grasas que consumimos, con lo que, si quitamos las primeras, el organismo recurrirá a las segundas. Así de sencillo: esta dieta funciona porque moviliza la grasa, ayuda a eliminar el hambre y a eliminar el exceso de agua.

Dieta para mantenerse en su peso ideal

Siguiendo los mismos principios y bases que la anterior, esta dieta admite entre 50 g y 60 g de carbohidratos por día.

Si lo que desea es mantener su peso ideal, en esta dieta usted puede consumir las mismas carnes que las indicadas en la dieta para reducir peso pero además ahora puede añadirles el hígado y los embutidos en general. También se permiten los quesos de cualquier tipo.

En el caso del pan, podrá ingerir dos o tres rebanadas de pan integral por día. También semillas y frutos secos, con excepción de castañas o nueces de cajú.

Durante las dos primeras semanas no podrá consumir frutas ni zumos.

Alimentos prohibidos en la dieta de mantenimiento

Pan con harina refinada; dulces; macarrones; pastel; galletas; bollos; harina refinada ; azúcar; caramelos; helados; mermelada; jarabes.

(Nota: Con esta dieta es conveniente vigilar los triglicéridos y el colesterol.)

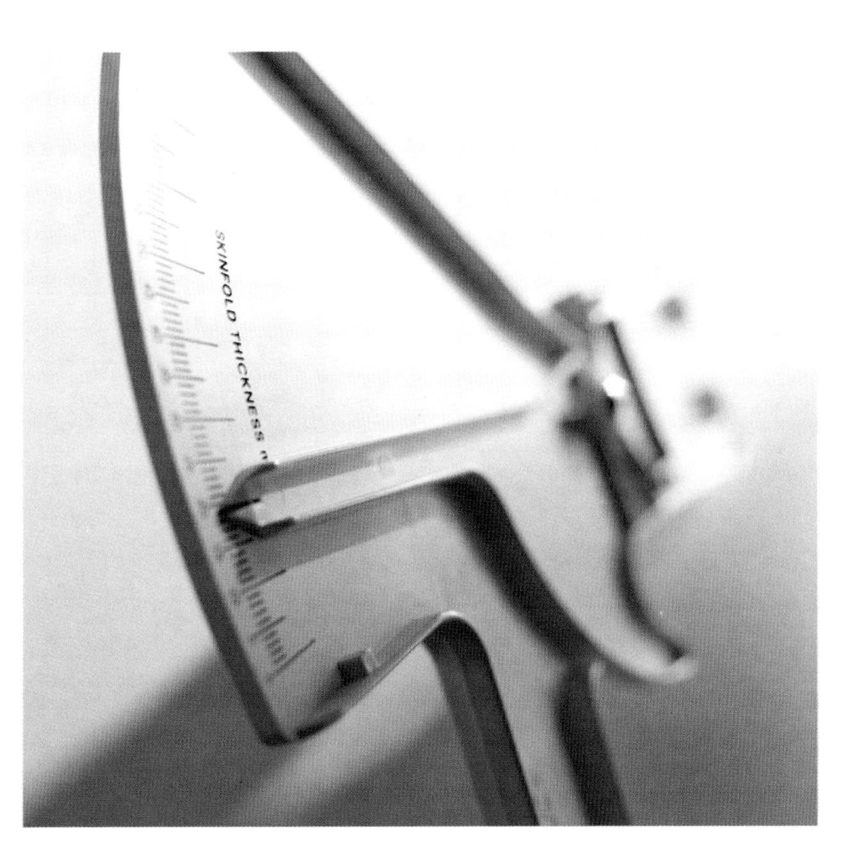

¿Cuánto tiempo puede seguir esta dieta?

Como habrá podido comprobar, una dieta como ésta no es posible seguirla durante toda la vida. El consumo de carbohidratos es no sólo necesario sino fundamental para el organismo. De todas formas, lo más equilibrado es que, después de haber bajado una cuarta parte del total de peso excedido, ingiera algún plato que le resulte apetitoso. Pero no lo olvide, sólo en una de las comidas. Luego, continúe perdiendo el peso hasta el límite que desee, sabiendo siempre que en el conjunto del proceso puede darse un gusto alimenticio, al menos, unas cuatro veces en total.

Tabla de carbohidratos

Sea cual sea la dieta, siempre puede consultar esta tabla. Recuerde que cuanto más variadas sean sus comidas tanto mejor.

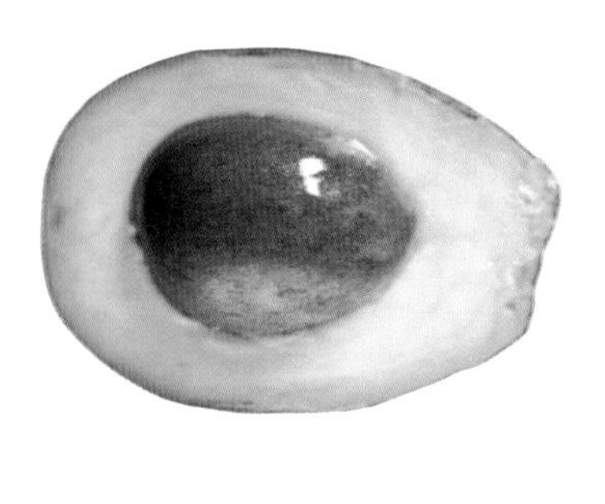

Alimento	Cantidad	Carbohidratos en g
Aceite	1 cuch.	0
Acelgas	1/2 taza	3
Aguacates	1/2 taza	5
Alubias	1/2 taza	20
Apio	1/2 taza	2
Arroz integral	1/2 taza	29
Azúcar sin refinar	1 taza	194
Boniatos	1 (mediano)	36
Berenjenas	1 taza	8
Brócoli	1/2 taza	4
Cacahuetes	1/2 taza	13
Calabaza	20 x 5 cm (sin piel)	7
Cangrejos	110 g	1
Carne de cerdo	110 g	0
Carne de ternera	110 g	0
Castañas	110 g	48
Caviar	30 g	1
Cebollas	1 (mediana)	9,6
Cerezas	1/2 taza	8
Cerveza	(30 cm3 y de 4,5% alcohol)	14
Col	1/2 taza	3
Coliflor	1/2 taza	2
Cordero	110 g	0
Chocolate (bajo en calorías)	1 cucharadita	8
Dátiles	1	6
Endivias	1 taza	3
Ensalada de patatas	110 g	15
Espárragos	1 taza	6
Espinacas	1 taza	1
Frankfurt	1	0,7
Fresas	1 taza	12
Garbanzos	1 taza	122
Gelatina dietética	1/2 taza	0
Guisantes	1/2 taza	10
Habas	1/2 taza	17
Harina integral	30 g	20
Hígado	110 g	5
Hojas de remolacha	1/2 taza	2
Huevos	1	0,4
Jamón	30 g	0
Judías verdes	1/2 taza	4
Leche	1 taza	12
Lechuga	1 taza	2
Lengua	110 g	1
Licores	0,03 l	8-15
Maíz	1 taza	26
Mandarina (mediana)	1	10

Alimento	Cantidad	Carbohidratos en g
Mantequilla	1 cuch.	0,1
Manzana	1 mediana	20
Margarina	110 g	0,5
Mayonesa	1 cuch.	0,3
Mejillones	110 g	4
Melocotón	150 g	19
Melón	1 rebanada mediana	13
Miel	1 cucharada sopera	17
Naranjas	1 mediana	19
Nata	1 cucharada	1
Nueces	1/2 taza	29
Olivas	1 mediana	0,1
Otras bebidas: coñac, bourbon, whisky, ginebra, ron, tequila, vodka		0
Pan de trigo	20 g	12
de avena	20 g	11
de salvado	1 rebanada	20
Patatas fritas	10	10
Patatas	1 mediana	21
Pato	110 g	0
Pavo	110 g	0
Peras	1 mediana	25
Pescados	110 g	0
Pimientos	1 mediano	3
Plátanos	1 mediano	26
Pomelo	1/2 mediano	14
Pulpo	110 g	0
Quesos (chedar, Bleu, camembert, edam, gouda, gruyere, mozzarella, roquefort)	30 g	1
Queso Fresco	1 taza	6
Queso Crema	30 g	0,6
Remolachas	1/2 taza	7
Sacarina	1 pastilla	0
Sandía	1/2 taza	10
Setas	1/2 taza	1
Sidra	0,2 l	19
Sopa de apio (crema)	1 taza	15
Sopa de cebolla	1 taza	5
Sopa de espárragos	1 taza	16
Sopa de guisantes	1 taza	22
Ternera	110 g	0
Tomates	1 mediano	7
Uvas	1/2 taza	7
Uvas pasas	1/2 taza	55
Vinos	0,10 l	0,1-22
Yogur natural	230 g	13
Zanahoria	1/2 taza	5
Zumo de limón	1 cucharada	1
Zumo de naranja	1/2 taza	13
Zumo de tomate	1/2 taza	5
Zumo de uvas	110 g	17

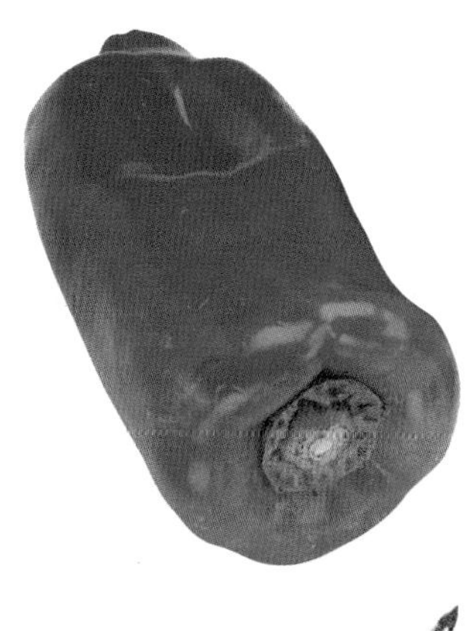

La dieta vegetariana

El interés general por los mecanismos de la nutrición ha llevado a considerar la dieta vegetariana como un modo de educar a los consumidores a la hora de elegir los alimentos más adecuados para su salud y el correcto funcionamiento de su organismo. Es por esto que muchos seguidores de la dieta vegetariana, sostienen que se trata de una dieta prudente. Esta dieta, llamada la «dieta verde», se opone a aquella denominada «dieta roja» –rica en el consumo de carnes–, cuyo principal beneficio es reducir el número de afecciones en las paredes arteriales –arterioesclerosis.

5 Principios fundamentales de la dieta vegetariana

1 Reducir el consumo de grasa y colesterol.
2 Reducir el consumo de sodio.
3 Incrementar el consumo de carbohidratos completos y fibra.
4 Mantener el peso ideal.
5 Evitar al máximo el alcohol.

REDUCIR EL CONSUMO DE GRASA Y COLESTEROL

La grasa animal –saturada– es la que ayuda a elevar la presión arterial y a aumentar el nivel de colesterol. El resultado de estos hábitos alimenticios ayuda, a corto o largo plazo, a producir las denominadas enfermedades coronarias. Las grasas procedentes del reino vegetal, por el contrario –polisaturadas– descienden sobre manera el nivel de colesterol. Por esto, la recomendación fundamental, es disminuir el consumo de las grasas animales, es decir, el de la leche entera, la mantequilla, la carne y los huevos, en general.

REDUCIR EL CONSUMO DE SODIO

La mayor parte del consumo del sodio se «esconde» en aquellos alimentos que solemos a consumir procesados, tales como comida enlatada, pasteles, etc., además de encontrarlo también en algunos productos naturales. El mejor modo de disminuir su consumo consiste, obviamente, en preparar la comida en casa y disminuir el consumo de sal.

INCREMENTAR EL CONSUMO DE FIBRA

A principios del siglo XX, el consumo de fibras disminuyó notablemente al ser reemplazadas por las grasas como moda dentro de la alimentación. Sin embargo, su consumo es de gran ayuda para mantener el peso ideal.

MANTENER EL PESO IDEAL

Si bien no existe ninguna «tabla de pesos» rigurosa –recuerde que todo depende de su contextura, sexo, edad, etc.– , sí debe tener en cuenta que al encontrarse en estado de sobrepeso usted aumenta el riesgo de padecer de enfermedades crónicas.

EVITAR AL MÁXIMO EL ALCOHOL

Si bien está prácticamente prohibido, podrá consumirlo pero con moderación, nunca más de 10 mg diarios.

2 tipos de dieta vegetariana

Tenga en cuenta que seguir una dieta vegetariana no significa consumir alimentos de un modo distinto sino alternativo. Así, existen dos tipos de dieta vegetariana, la dieta ovo-lácteo-vegetariana y la dieta exclusivamente vegetariana.

LA DIETA OVO-LÁCTEO-VEGETARIANA

Esta dieta **admite el consumo de huevos y de derivados lácteos**. En este caso, se puede afirmar que se trata de un sistema de alimentación muy adecuado y variado. Los únicos nutrientes que pueden escasear en esta dieta son las proteínas, el hierro y la vitamina B12, pero si se ingiere la cantidad necesaria de productos lácteos ellos pueden «cubrir el hueco».

Lo que indudablemente se deberá evitar –en este caso– son las grasas saturadas, es decir, yema de huevos, leche entera y quesos de más de un 30% de grasas y alto contenido en sal.

LA DIETA EXCLUSIVAMENTE VEGETARIANA

En esta dieta **sólo se consumen alimentos de origen vegetal**. Esta segunda opción debe practicarse con mayor precaución y, por tanto, debe ser suplementada con vitamina B12.

Alimentos tales como carne, leche y derivados lácteos, no se pueden consumir en esta dieta. La solución se encuentra generalmente en comer a diario una mayor ración de cereales, judías, guisantes y legumbres.

«comer a diario una mayor ración de cereales, judías, guisantes y legumbres»

«la dieta exclusivamente vegetariana sustituye la proteína de la carne, los huevos y la leche por la rica proteína de la soja»

Las proteínas

Como se ha explicado en el capítulo 1, las proteínas están relacionadas con el crecimiento y la manutención del tejido corporal. Ellas son los constituyentes del cabello, la piel y el resto de los tejidos. La dieta exclusivamente vegetariana sustituye la proteína de la carne, los huevos y la leche por la de la soja. Por su parte, para «completar» la posible falta de aminoácidos esenciales usted puede consumir legumbres, simplemente combinando diferentes alimentos vegetarianos en una misma comida. A tal práctica, se la denomina dentro de la corriente del vegetarianismo como«complementar proteínas» .

Los alimentos más adecuados para lograr este complemento son los cereales consumidos junto con las legumbres. Esta forma de alimentación –presente, en realidad, desde hace miles de años–, puede presentar un gran número de posibilidades combinatorias.

Recuerde que, si desea que un niño siga esta dieta, debe seguir un control médico por el posible déficit proteico. En este caso, es importante que consuma grandes cantidades de leche de soja o proteínas vegetales.

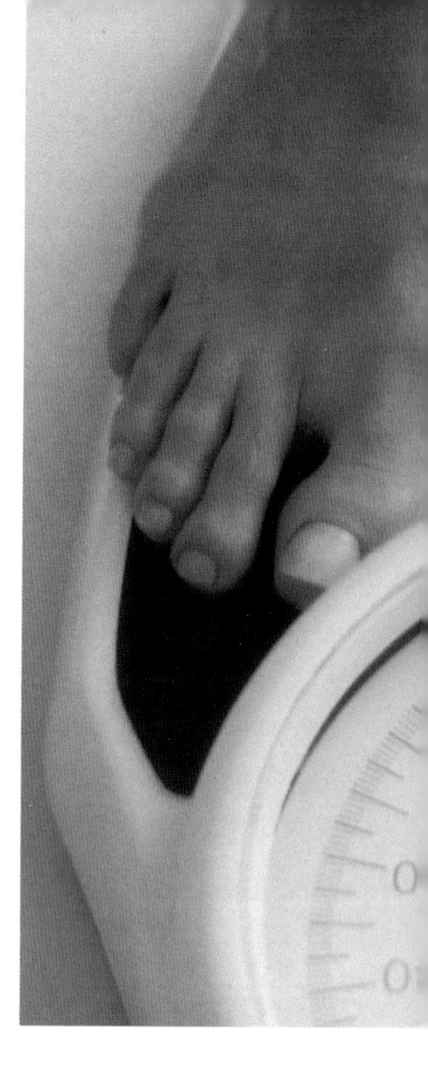

La vitamina B12 en la dieta vegetariana

La vitamina B12 –como se ha explicado– se relaciona con la producción de glóbulos rojos. Quienes deseen practicar una dieta puramente vegetariana tendrán que tener especial cuidado a la hora de idear sus comidas –ya que la vitamina B12 se encuentra sólo en los alimentos de origen animal–, sustituyéndola por levadura de cerveza o productos derivados de la soja fermentada, como también por cualquier cereal que sea fortificado.

El hierro

Usted deberá llevar también el control de las dosis de este mineral si sigue una dieta estrictamente vegetariana. Recuerde que si bien el hierro se encuentra fundamentalmente en las carnes rojas y en el hígado, también es cierto que los vegetales aportan altas dosis de hierro, aunque éste es más difícil de absorber por el organismo.

De todas formas, existen varias vías para solucionar este problema y una de ellas consiste en elaborar comidas teniendo en cuenta la siguiente tabla donde se muestra la

Alimentos ricos en hierro (en mg)

Alimento	Cantidad	Hierro en mg
Arroz hervido	1 taza	1,8
Arroz integral	1 taza	1,0
Pan (norm. o int.)	1 rebanada	0,7
Espinacas cocidas	1 taza	4,8
Judías	1 taza	4,5
Manteca de cacahuete	2 cucharadas	0,6
Col de Bruselas	1 taza	1,4
Levadura de cerveza	1 cucharada	1,4
Fruta (por ej. 1 plátano)	1.0	
Frutos secos (por.ej.pasas,	aprox. 42 g.)	1,5
Garbanzos	100 g.	8,0
Almendras	100 g.	4,0
Avellanas	100 g.	3,0
Espinacas	100 g.	3,0
Almejas	100 g.	17,0
Morcilla	100 g.	40,0
Chorizo	100 g.	3,5
Pavo	100 g.	4,0
Sardinas	100 g.	3,0
Higos secos	100 g.	3,0

cantidad de hierro de algunos vegetales. No olvide que otra opción es desayunar cereales o ingerir 20 miligramos de hierro de forma directa, es decir, mediante medicamentos comprados en las farmacias y siempre bajo prescripción médica.

El calcio

Se halla tanto en los derivados lácteos como en algunos alimentos de origen vegetal. En el siguiente cuadro, usted podrá comprobar cuáles son los alimentos ricos en calcio. (Quienes opten por practicar una dieta exclusivamente vegetariana, consumirán tal vez pocas cantidades de fósforo y proteínas, con lo que la absorción del calcio resultará muy eficiente y no será necesario ningún suplemento vitamínico de esta sustancia.)

Durante el embarazo y la lactancia son recomendables 500 mg de glucamato de calcio si sigue una dieta de este tipo. De todas formas, deberá consultarlo antes con su médico.

Alimentos ricos en calcio (en mg)

Alimento	Cantidad	Calcio en mg
Leche cabra Fresca	100 g.	190
Leche en polvo entera	100 g.	920
Leche en polvo desnatada	100 g.	1.200
Requesón	100 g.	100
Queso de bola	100 g.	900
Cabrales	100 g.	700
Gruyére	100 g.	700
Manchego	100 g.	400
Roquefort	100 g.	700
Jamón crudo	100 g.	48
Chorizo	100 g.	30
Pavo	100 g.	21
Jamón York	100 g.	14,2
Huevos (2)	100 g.	60
Boquerones	100 g.	500
Sardinas en aceite	100 g.	340
Langostinos	100 g.	190
Almejas	100 g.	142
Frutos secos (almendras o avellanas)	100 g.	250

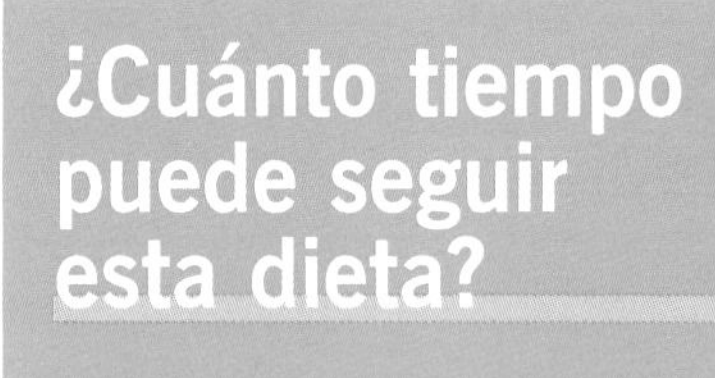

¿Cuánto tiempo puede seguir esta dieta?

Como habrá podido observar, más que una dieta el vegetarianismo es un modo de alimentación, y casi podría afirmarse que se trata de un sistema más ecológico de nutrición. De todas formas, si usted opta por no comer carnes, lo más sensato es seguir –al menos al principio– un control médico. Ha habido casos de descompensación alimentaria en quienes la han seguido por su cuenta. Nuestro consejo es que, si hasta ahora usted ha consumido carnes, las vaya dejando de lado progresivamente. Comience por ingerir carne una vez a la semana; luego, cada quince días, y así sucesivamente.

«el calcio se encuentra tanto en los derivados lácteos como en algunos alimentos de origen vegetal»

«el consumo de proteínas resulta básico para aquellas personas que opten por una dieta vegetariana»

Es básico consumir proteínas

Como se ha explicado con anterioridad, la necesidad de consumir proteínas resulta básica para aquellas personas que opten por una dieta vegetariana, con lo que se debe tener en cuenta la cantidad de proteínas que necesita su organismo según la edad.

Observe el siguiente esquema y descubra qué cantidad necesita.

Ahora bien, en la tabla de la siguiente página le ofrecemos la ración proteica que su organismo necesita aun sin comer carne, ya que las siguientes comidas aportan al día el total de proteínas necesarias, más aun cuando la mayoría de los vegetales contienen aproximadamente dos gramos de proteínas cada 0.12 kilos.

Bebés	0-1 años	**13 g**
Niños	1-3 años	**23 g**
	4-6 años	**30 g**
	7-10 años	**34 g**
Hombres	11-14 años	**45 g**
	más de 15 años	**56 g**
Mujeres	11-18 años	**46 g**
	más de 19 años	**44 g**
	embarazadas (adicionales)	**+30 g**
	amamantando (adicionales)	**+20 g**

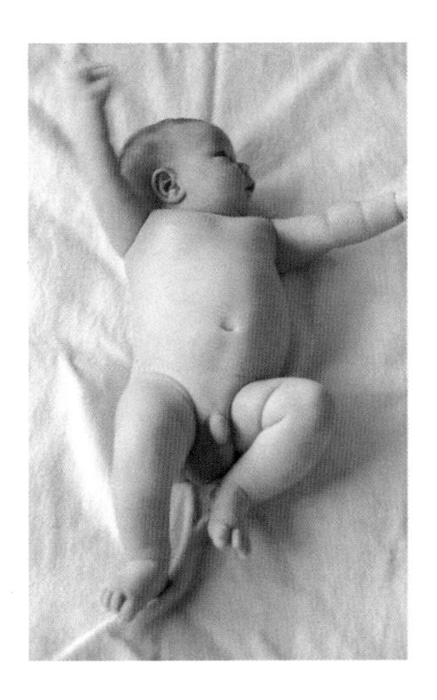

Aspectos positivos de esta dieta

Como opción alternativa de un modo determinado de vida –además de ser una excelente dieta adelgazante– permite después de un cierto tiempo descubrir el verdadero sabor de los alimentos, tanto como otras posibles combinaciones que van más lejos de aquellas propuestas por la sociedad de consumo.

Valor proteico (en g) de algunos alimentos

Alimento	Cantidad	Proteínas
Legumbres cocidas	1 taza	14-15 g
Queso fresco	1/2 taza	14 g
Arroz	1 taza	10 g
Judías	1/2 taza	10 g
Soja japonesa	120 g.	9,4 g
Manteca de cacahuete	2 cucharadas	8 g
Leche y yogur	226 g.	8 g
Frutos secos	1/2 taza	7-12 g
Queso (tipo sandwich)	29 g.	7 g
Pasta cocida	1 taza	7 g
Vegetales (tipo lechuga)	1 taza	4-5 g
Levadura de cerveza	1 cucharada	3 g
Pan	1 rebanada	2-3 g

Aspectos negativos de esta dieta

Se han registrado algunos casos de descompensación por bruscos cambios alimenticios. Nuestra sugerencia es que siga un control médico y que, si se decide por ella, la inicie progresivamente.

Resulta evidente que, con la variedad de vegetales que existen –aunque usted siga una dieta ovolacto-vegetariana– podrá lograr interesantísimas combinaciones, además de una dieta sabrosa y económica a la vez.

Algunos consejos prácticos

1 **La dieta vegetariana proporciona un abanico enorme de posibilidades creativas.** La gran variedad de vegetales, legumbres, hierbas y aderezos en general pueden proporcionarle a su paladar un sinnúmero de sabores que, tal vez, hasta ahora usted haya desconocido u olvidado.

2 Por otra parte, **las diferentes formas de cocción también son fáciles de combinar.** A modo de ejemplo, un menú compuesto de judías cocidas al vapor, pimientos y tomates al horno con aceite de oliva y orégano, y pan tostado con ajo y perejil, o una crema de calabacines y setas acompañadas de un sofrito, son sencillamente algo no sólo delicioso sino también muy nutritivo.

3 Recuerde que **no consumir carne no equivale jamás a pasar hambre.** Es nuestra cultura occidental la que nos ha enseñado en el último siglo a dar prioridad a las carnes rojas y a los productos con conservantes. Por algo son muchos los que ya han optado por este tipo de dieta.

4 Recuerde que **las frutas y los zumos son de un gran valor a la hora de idear un plan** de comida tanto si le apetece cruda como cocida. Los bocadillos de los escolares pueden incluir tanto manteca de cacahuete como queso fresco.

5 En sus comidas, **no olvide incluir las hierbas, los condimentos, el yogur y el queso**, si es que ha optado por una dieta más completa. Para los más pequeños, las galletas de miel constituyen no sólo algo sabroso a su paladar sino también un alimento de alto valor nutritivo.

6 **Tampoco las comidas para invitados son algo complicado si usted se decide por esta dieta.** Alimentos como champiñones o setas rellenas, aceitunas, vegetales crudos en ensalada y frutos secos, pueden constituir un exquisito primer plato. Las berenjenas y los espaguetis con salsa de tomate pueden convertirse, por ejemplo, en un segundo plato muy sabroso con el que podrá agasajar.

La dieta médica de Scarsdale (la dieta anticalorías)

Esta dieta se basa esencialmente en el principio de que todo buen resultado para lograr lo esperado de un régimen alimenticio parte del sentido común tanto como de la comprensión de la naturaleza humana. Sabor, sencillez, satisfacción y brevedad son las características que la han hecho famosa.

Las proteínas, las grasas, los minerales, las vitaminas y el agua, constituyen –como se ha podido observar a lo largo de todas estas páginas–, los elementos básicos de cualquier tipo de nutrición, más allá de la preponderancia que cada dieta dé a ciertos elementos por delante de otros según sus postulados y principios.

Para seguir esta dieta, usted deberá tener en cuenta que tanto las proteínas como las grasas contienen un buen número de calorías. Así, si por lo común una persona ingiere de un 10 % a un 15% de proteínas, un 40% y un 45% de grasas, y entre un 40% y un 50% de minerales, la dieta médica Scarsdale propone no sólo reducir estos márgenes sino, además, reducir también a 1.000 las calorías ingeridas con el fin de lograr una pérdida rápida de peso. (Con un 43% de proteínas diarias, un 22,5% de grasas y un 34,5% de minerales.)

Si bien es cierto que cada organismo es diferente, podemos afirmar sin temor que **con esta dieta resulta fácil perder desde 1/2 kilo/día hasta 10 o más kilos en quince días.** Un factor que juega a favor de quien desee practicarla, es que la dieta sólo dura 14 días, con lo que no se siente desalentado a seguir un régimen estricto de por vida además de poder practicarla cuando lo desee. Obviamente, lo que sí deberá cambiar son ciertos hábitos alimentarios, desarrollará nuevos gustos y aprenderá a comer mejor.

¿Cuánto tiempo puede seguir esta dieta?

Es evidente que una dieta tan restringida sólo podrá realizarla durante un tiempo. Por nuestra parte, le sugerimos que una vez que usted haya bajado de peso, la realice sólo una semana al mes para mantenerse.

Tabla de peso recomendable

A continuación, usted podrá observar la «Tabla de peso recomendable» pero ¡cuidado!, esta no es una tabla estricta ni mucho menos. Constituye una guía inteligente para que usted tenga en cuenta cuál puede ser su peso según su contextura física y su edad, con lo que por cada caloría que consuma almacenará siempre un poco más de grasa.

Altura (en metros y sin ropa)	**Peso** (mujeres)	**Peso** (hombres)
1,45	41-45	43-48
1,47	42-47	45-49,5
1,50	43-48	46-51
1,55	46-51	50-56
1,57	48-54	53-59
1,60	50,5-56	55-61
1,63	51,5-56	55-61
1,64	54-60	60-65,5
1,67	55-61,5	61-68
1,70	57-64	63-70
1,73	60-66	65,5-73
1,75	62-68	68-75
1,77	65-70,5	70-77
1,80	66-72,5	71-78,5
1,82	67-73	75-82
1,85		76,5-84
1,87		78-86
1,90		79-89,5
1,92		82-91
1,95		85-94,5

Ahora bien, para disfrutar de una pérdida de grasas de un modo acelerado en las zonas de acumulación como caderas, nalgas o vientre, deberá lograr la perfecta administración de proteínas y grasas.

Para lograr este objetivo, lo primero que usted deberá considerar es el llevar una «tabla de peso» día por día, evaluándolo sólo y siempre por las mañanas y en ayunas.

10 reglas básicas de la dieta de Scarsdale

1 Coma exactamente lo indicado. No sustituya.

2 No beba alcohol. Contiene una enorme cantidad de calorías.

3 Entre las comidas, usted sólo podrá comer zanahoria y apio en las cantidades que usted desee.

4 Las bebidas permitidas son: agua, café (con o sin cafeína), té, agua con gas y refrescos dietéticos.

5 Prepare todas sus ensaladas sin aceite, mayonesa u otros condimentos altos en grasas. Sólo podrá utilizar limón o vinagre, o bien un aderezo de mostaza y vinagre.

6 No ingiera mantequilla ni margarina pues se trata de dos fuentes importantes de grasas.

7 Todas las carnes que usted coma deberán ser magras y sin piel.

8 No es necesario que coma todo lo indicado en la lista, pero debe seguir al pie de la letra las combinaciones indicadas.

9 Nunca sobrecargue su estómago. Coma menos pero mejor y se sentirá más ligera

10 No prolongue la dieta durante más de 14 días.

Una dieta para todos los gustos y situaciones

«deberá cambiar ciertos hábitos alimentarios, desarrollar nuevos gustos y aprender a comer mejor»

Como podrá observar a continuación, la dieta de Scarsdale se adapta fácilmente a sus posibilidades o sus gustos. Por ello, aunque usted encontrará en este apartado un esquema básico a seguir, le resultará fácil variar sus menús, ya que podrá elegir qué tipo de alimentos prefiere dentro de los del grupo sugerido.

Para ello, usted sólo deberá consultar la lista que le ofrecemos a continuación para saber cuántas calorías puede consumir según su sexo, su altura y su peso. En la tabla de alimentos, usted encontrará la cantidad de calorías que poseen según un peso o una medida específica, lo que le permitirá decidir qué tipo de verdura, hortaliza o carne prefiere comer, si es que no le apetece la del menú sugerido.

Éstas son las calorías que usted podrá consumir según su altura y su peso.

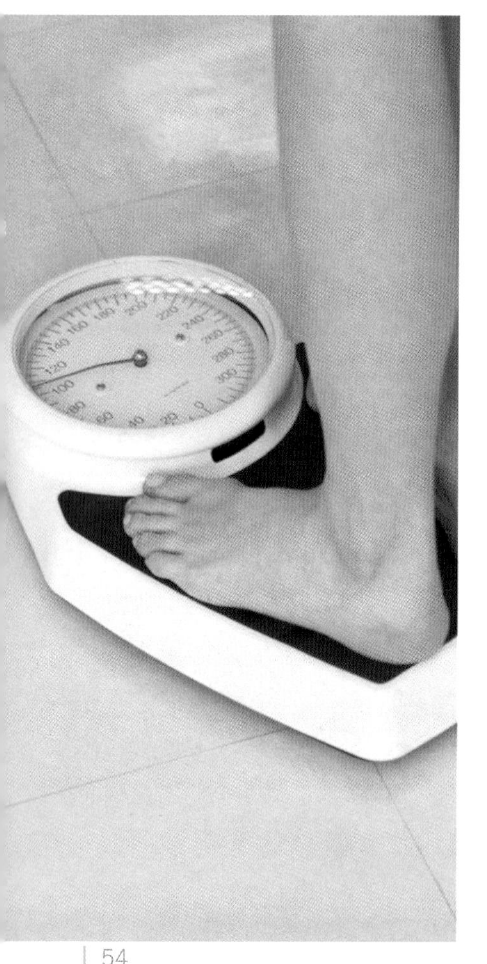

Tabla de calorías (según sexo altura y peso)

Altura (en metros)	Mujeres (peso)	Calorías	Hombres (peso)	Calorías
1,47m	45-49	1.080-1.170	47-52	1.235-1.365
1,50m	46-51	1.115-1.225	49-54	1.275-1.405
1,52m	47-52	1.140-1.260	50-55	1.300-1.445
1,55m	48-54	1.165-1.295	52-58	1.365-1.520
1,57m	50-55	1.200-1.335	55-61	1.430-1.560
1,60m	52-59	1.250-1.415	57-64	1.495-1.665
1,63m	55-61	1.320-1.475	60-66	1.560-1730
1,65m	56-63	1.345-1.515	62-69	1.625-1.795
1,68m	58-65	1.405-1.560	65-71	1.690-1.860
1,70m	60-67	1.440-1.610	67-74	1.730-1.925
1,73m	62-69	1.500-1.670	69-76	1.780-1.990
1,75m	65-72	1.560-1.730	72-79	1.860-2.065
1,78m	67-74	1.620-1.790	74-82	1.925-2.130
1,80m	70-77	1.680-1.850	76-84	1.975-2.185
1,83m	72-79	1.730-1.895	78-85	2.015-2.225
1,85m			81-89	2.120-2.325
1,88m			83-91	2.170-2.380
1,90m			85-94	2.210-2.445
1,93m			86-97	2.235-2.535
1,96m			89-99	2.315-2.575
1,98m			92-103	2.405-2.680

Tabla de calorías: alimentos

Para cada 100 g del alimento indicado

Alimento	Calorías
2 lonchas de bacon	95
Carne sin grasa	286
Hamburguesa sin grasa	286
Bistec sin grasa	385
Hígado sin grasa	140
Lengua hervida	244
Pollo sin piel	216
Cordero sin grasa	279
Cerdo sin grasa	310
Conejo sin grasa	216
Frankfurt	304
Jamón dulce	234
Salami	450
Pavo sin grasa ni piel	320
Anchoas en lata(3 filetes)	21
Almejas en lata	98
Bacalao asado	170
Cangrejo al vapor	93
Salmón asado	217
Camarones enlatados	225
Manzanas (1 mediana)	70
Plátano (1)	130
Cerezas (1 taza)	140
Uvas sin semilla (1 taza)	102
Naranjas (1 mediana)	70
Melocotones (1 mediano)	33
Pera (1 mediana)	100
Ciruela (1 mediana)	30
Mandarina (1 mediana)	40
Sandía (10 x 20 cm)	240
Alcachofas	44
Espárragos (6 puntas)	20
Aguacate (1 mitad)	180
Brócoli (1 taza)	50
Repollo crudo (1 taza)	25
Repollo cocido (1 taza)	40
Zanahoria (1)	20
Coliflor (1 taza)	30
Apio (20 cm)	5
Maíz (1 taza)	170
Berenjenas (1 taza)	34
Lentejas (1 taza)	212
Lechuga (1 planta)	70
Olivas (1)	9
Cebolla (6cm)	25
Arvejas (1 taza)	110
Pimientos verde (1)	15

Alimento	Calorías
Patatas (1)	90
Calabaza (1 taza)	83
Espinacas (1 taza)	35
Tomates (1)	30
Brotes de soja (1 taza)	50
Habas cocidas (1 taza)	170
Judías secas	330
Garbanzos	360
Queso brie (30 g)	95
Queso crema (30 g)	117
Queso Edam (30 g)	101
Queso Gouda (30 g)	101
Queso Mozzarella (30 g)	80
Queso ricota (30 g)	216
Queso roquefort (30 g)	105
Crema sin batir	44
Leche condensada (30 g)	123
Leche descremada (30 g)	102
Yogur desgrasado (1 taza)	120
Yogur entero (1 taza)	139
Huevo (1)	79
Pan de trigo (rebanada)	60
Pan francés (rebanada)	58
Pan negro (rebanada)	56
Pan con pasas de uva	56
Arroz (1 taza cocido)	205
Espaguetis (1 taza)	155
Mantequilla (1 cuch.)	100
Mayonesa (1 cuch)	100
Nueces (1 taza)	790
Cerveza (1 lata)	150
Café (1 taza)	2
Té (1 taza)	2
Miel (1 taza)	164
Azúcar (1 cucharada)	64
Chocolate amargo sin azúcar (30 g)	151
Vinagre (1 cucharada)	2

Aspectos positivos de esta dieta

La poca ingestión de grasas ayuda, obviamente, a una mejor digestión. El consumo de frutas, por su parte, también es muy beneficioso para el organismo y la absorción de minerales. Le sugerimos que, de ser posible, no sustituya el pomelo de las mañanas. Es un aporte de vitamina C que le proporcionará un alza de energía durante varias horas.

Aspectos negativos de esta dieta

La poca o casi nula ingestión de harinas e hidratos puede no ser beneficiosa para el organismo si usted continúa esta dieta por más tiempo del indicado.

Esta dieta está programada para bajar rápidamente de peso en sólo 14 días. Elija los alimentos que más le agraden según la lista, pero siguiendo el esquema de la dieta tal como se explica a continuación. ¡Y no olvide sumar las calorías!

Si lo desea, usted puede sustituir el siguiente almuerzo por cualquiera de los que se detallan a continuación:

1/2 taza de queso blanco de bajo contenido en grasa.

Fruta, la cantidad que desee.

6 mitades de nueces mezcladas con el queso o la fruta.

Té o café.

Desayuno para los14 días

- 1/2 pomelo o fruta ácida de estación.
- 1 rebanada de pan proteico sin tostar ni untar.
- Café o té, sin azúcar, crema ni leche.

LUNES

Almuerzo

- Carnes magras. Rodajas de tomates.
- Café o té.

Cena

- Pescados de cualquier clase sin grasa. Ensalada de verduras y hortalizas.
- 1 pomelo.
- Café o té.

MARTES

Almuerzo

- Ensalada de frutas (la cantidad que desee).
- Café o té.

Cena

- Hamburguesas sin grasa asadas. Ensalada mixta de tomates, lechuga, apio, olivas y pepinos.
- Té o café.

MIÉRCOLES

Almuerzo

- Ensalada de atún o salmón (natural y sin aceite), con limón y vinagre.
- Pomelo o melón.
- Café o té.

Cena

- Cordero asado con grasa. Ensalada de lechuga y tomates.
- Café o té.

JUEVES

Almuerzo

- Dos huevos cocidos a gusto sin aceite.
- Queso blanco de bajo contenido en grasa.

• Una rebanada de pan proteico tostado.

• Café o té.

■ Cena

• Pollo a la parrilla, sin piel ni grasa, la cantidad que desee.

• Espinacas. Pimientos verdes. alcachofas.

VIERNES

■ Almuerzo

• Rodajas de queso surtidas de bajo contenido en grasa.

• Espinacas, la cantidad que desee.

• Pan integral tostado.

• Té o café.

■ Cena

• Pescado o mariscos sin grasa.

•Ensalada de vegetales frescos. Hortalizas cocidas.

• Pan de centeno tostado, una rebanada.

• Té o café.

SÁBADO

■ Almuerzo

• Ensalada de frutas, la cantidad que desee.

• Té o café.

■ Cena

• Pollo o pavo asado. Ensalada de lechuga y tomates.

• Frutas de estación.

• Café o té.

DOMINGO

■ Almuerzo

Pollo o pavo frío. Zanahorias, repollo cocido, brócoli y coliflor.

• Fruta de estación.

• Té o café.

■ Cena

• Bistec a la parrilla magro. Ensalada de pepinos, cebolla y tomates. Repollitos de bruselas.

• Café o té.

SEGUNDA SEMANA

Repita el mismo esquema dietético pero variando algunos alimentos. Por ejemplo, en lugar de ingerir una ensalada de lechuga y tomate, puede comer una de apio y manzanas verdes.

La dieta programada «Lean Body» de Cliff Sheats

Esta dieta se basa en la noción de «comer más para adelgazar más», ya que el pasar hambre no funciona en ningún caso. Los conceptos fundamentales que usted debe tener en cuenta –si decide seguir esta dieta– son: «peso» y «grasa».

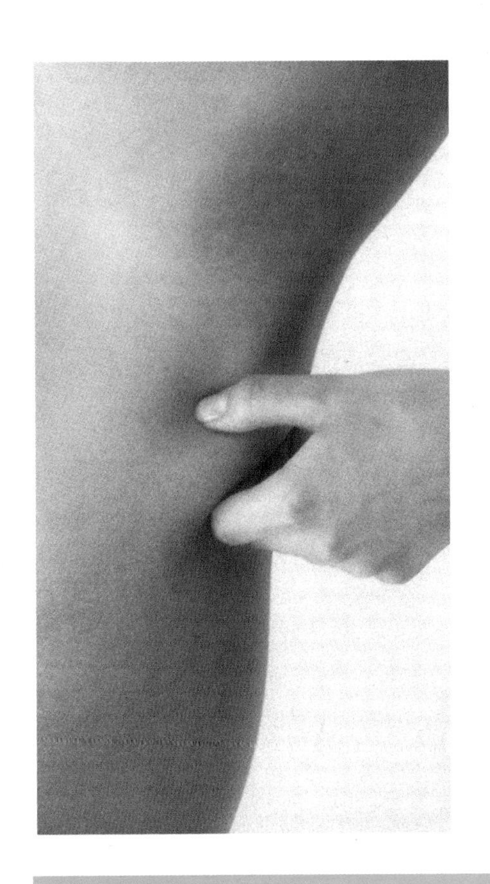

En efecto, esta forma de alimentarse para perder kilos insiste una y otra vez en dichos términos muy fáciles de confundir por el común de la gente.

En este sentido, el «peso» incluye los músculos, la grasa, los fluidos corporales, los órganos, la piel y los huesos. Pero cuando se habla de «grasa» nos referimos a uno de estos tres tipos de tejido: **grasa subcutánea** (se encuentra directamente debajo de la piel); **grasa almacenada** (se deposita sobre todo en el abdomen, el contorno de las caderas y en los muslos); y, por último, la **grasa esencial** (rodea, protege y almohadilla las membranas celulares, los nervios y los órganos vitales).

Entonces, ¿en qué consiste el perder grasa? Sencillamente en perder grasa almacenada.

Porcentajes deseables de grasa

Antes de comprender el programa es fundamental tener en cuenta cuáles son los porcentajes deseables de grasa:

Hombres en buena condición física: **por debajo del 12%**	Mujeres en buena condición física: **por debajo del 18%**
Hombres normalmente activos: **del 13 al 16%**	Mujeres normalmente activas: **del 19 al 24%**

Con este programa usted podrá...

«es más interesante tener más músculo y menos grasa»

1 Acelerar su metabolismo para quemar grasas.

2 Estimular y aumentar su nivel energético mucho más de lo que nunca experimentó.

3 Llevar una correcta alimentación para mantener su peso ideal de por vida.

4 Aprender algunos conceptos básicos sobre nutrición y aplicarlos sobre usted mismo.

5 Sentirse físicamente seguro y saludable.

Antes que nada deberá saber que una dieta baja en calorías –según este plan– no sirve en absoluto para quemar grasas ya que, por el contrario, lo que se pierde es tejido muscular. ¿No es entonces más interesante tener más músculo y menos grasa? Un aspecto también a tener en cuanta es que cualquier dieta baja en calorías retrasa los procesos metabólicos que convierten los alimentos en energía.

Por otra parte, un estudio llevado a cabo entre 1973 y 1983 entre mil pacientes obesos, demostró que cuantas más dietas se siguen –especialmente las hipocalóricas–, más cuesta posteriormente bajar los kilos que se necesitan, produciendo en este sentido bruscos desequilibrios metabólicos y fisiológicos.

¿Qué producen las grandes fluctuaciones de peso?

1 Una posible subida de la presión sanguínea y variaciones en los niveles de glucosa (azúcar en sangre), tanto como de los triglicéridos (grasa en sangre).

2 Efecto «yo-yó» capaz de provocar cardiopatías.

3 Riesgos de contraer enfermedades de la vesícula biliar.

4 Riesgos de debilitar la acción de los jugos digestivos con sucesivas dietas hipocalóricas.

5 Fatiga, calambres, dolores musculares y caída del cabello.

El plan «Lean Bodies» le propone perder peso sin pagar un alto precio por ello.

Principios básicos del plan «Lean Bodies»

INCREMENTAR GRADUALMENTE LAS CALORÍAS

Con el fin de activar su metabolismo y quemar grasas, usted deberá incrementar gradualmente las calorías. En efecto, con este programa usted puede incrementar calorías –comenzando por una base y aumentándolas gradualmente cada semana– mientras, al mismo tiempo, quema grasas. Más aun, puede que al principio usted crea que, al aumentar las calorías, se está alimentando en exceso. Nada más lejos de la realidad. Muy por el contrario, lo que usted está haciendo es «entrenar» su metabolismo para que sea más eficaz. Sencillamente porque al incrementar las calorías lleva su metabolismo a un alto nivel, con lo que **usted quemará más grasas ya que su metabolismo será más rápido**.

¿Cómo sabrá cuándo su metabolismo está funcionando a mayor velocidad?

1. Está ingiriendo 188 calorías al día –o más– y en sus mediciones usted no ha ganado grasa.

2. Tiene una apariencia más esbelta y una mejor definición muscular.

3. Su nivel energético se mantiene siempre alto. Tenga en cuenta que la fatiga es siempre un síntoma de mala nutrición.

¿Cuánto tiempo puede seguir esta dieta?

No olvide que, si usted no es una persona de mucha actividad física, no deberá realizarla. El programa tiene un tiempo determinado. No intente seguirla por su cuenta sin control médico ya que podría tener alguna descompensación de minerales y vitaminas.

REPARTIR LAS CALORÍAS A LO LARGO DEL DÍA

Usted deberá comer cinco veces al día, de las cuales tres comidas serán importantes y dos consistirán en «sucedáneos» –consistentes en una bebida especial sobre la base de proteínas.

El hecho de repartir las calorías en cinco comidas hace que usted produzca un cambio en su bioquímica con la finalidad de quemar grasas.

Recuerde esto: **tantas veces como usted coma al día estará recargando su metabolismo.**

PARA QUEMAR GRASAS Y TENER AL MISMO TIEMPO ENERGÍA, SU METABOLISMO DEBERÁ TRABAJAR AL MÁXIMO

Esto no sólo dependerá de las calorías que ingiera sino de cuáles sean esas calorías que usted ingiere.

Recuerde que ellas derivan de las proteínas, de los carbohidratos y de las grasas. Así, una dieta muy alta en proteínas y pobre en carbohidratos no le dará energía, con lo que perderá musculatura –ya que su cuerpo buscará la energía en los músculos.

Por el contrario, mediante una dieta alta en carbohidratos y baja en proteínas, su cuerpo será menos capaz de quemar grasas.

Con este programa usted obtendrá los siguientes porcentajes en los alimentos consumidos:

Proteínas: 25%
Carbohidratos: 65%
Grasas: 10%

SEGUIR UN PROGRAMA DE EJERCICIO AERÓBICO

Esto significa que usted NO PUEDE realizar ejercicios si sigue una dieta baja en calorías. (¡Es muy nocivo para la salud!) Por el contrario, una dieta equilibrada en calorías acompañada de ejercicio aeróbico tiene como resultado:

- quemar grasas;
- ampliar el sistema de suministro de oxígeno. (Considere seriamente que siempre hace falta oxígeno para quemar grasas.);
- alimentar la musculatura del tejido corporal;
- amplíar vasos sanguíneos a fin de transportar más nutrientes, eliminando de este modo más rápidamente el dióxido de carbono.

Andar, pedalear, correr, en bicicleta o con máquinas de escalera o de caminar, resultan ejercicios excelentes si se practican de dos a tres veces por semana durante 60 minutos. (Recuerde que el objetivo es quemar grasa acumulada.)

Por otra parte, si bien no es ningún secreto que el ejercicio es fundamental para cualquier programa de pérdida de grasa, lo es exclusivamente el ejercicio aeróbico –el único que quema grasas directamente– y el levantamiento de pesas. El primero es fundamental porque, para que la grasa se queme se necesita oxígeno y, al obtenerlo, lo primero en quemarse son los x-" y, después, las grasas. Al cabo de unos veinte minutos de ejercicio aeróbico, la grasa sale de la célula en forma de ácidos grasos para ser utilizada como energía. Las pesas, por su

Aspectos positivos de esta dieta

Este plan dietético está considerado como uno de los más completos, pero si desea resultados satisfactorios debe seguirlo estrictamente. Lo interesante es que usted puede planificar su alimentación de un modo cómodo y a la vez nutritivo.

Aspectos negativos de esta dieta

No es una dieta para recomendar a aquellas personas que lleven una vida sedentaria. Tampoco se trata de un régimen en que usted pueda variar en mucho el tipo de alimentos. Le sugerimos observar atentamente los niveles de calcio.

parte, constituyen una forma indirecta de quemar grasas ya que cuanta más musculatura tenga usted, mayor será la cantidad de grasa que pueda quemar.

A partir de estos principios, usted logrará que la bioquímica de su cuerpo queme grasas a partir de cuatro maneras fundamentales:

1- Incrementando calorías.
2- Repartiéndolas a lo largo del día.
3- Seleccionando aquellos alimentos que activan el metabolismo.
4- Siguiendo un programa de ejercicio moderado.

¿Por qué son tan necesarias las proteínas?

Si bien ya se ha explicado anteriormente la importancia de las proteínas, destacaremos aquí cinco puntos clave a tener en consideración.

1 **Funciones de crecimiento**: la pérdida de las células de la superficie de la piel, el crecimiento del pelo y de las uñas, u otro tipo de células que mueren o se pierden a ritmo de los procesos fisiológicos, han de reemplazarse constantemente. También como base para la construcción de los huesos, y el tejido cartilaginoso –además de un sin número de funciones que obviamente no podemos describir aquí–, las proteínas resultan fundamentales.

2 **Como conductoras del proceso anabólico y catabólico del cuerpo**: durante el ejercicio, su organismo, al agotarse, realiza un proceso llamado catabólico y, durante la fase de recuperación, anabólico. Al incrementar la ingestión de proteínas su cuerpo genera más musculatura, cosa que ocurre en la fase catabólica del ciclo. Por ello, cada gramo de tejido muscular que usted incorpora al ciclo es una garantía contra el incremento de grasa.

3 **Su acción dinámica sobre el metabolismo**: después de haber comido, la acción de su tasa metabólica aumenta a causa de las diversas reacciones químicas de los alimentos. Una comida con muchos hidratos de carbono, aumenta en un cuatro por ciento el metabolismo, mientras que una comida de proteínas la aumenta hasta un treinta por ciento por encima de lo normal.

4 **Su acción sobre la regulación del agua en el cuerpo**: el agua se halla dentro de las células, fuera de ellas y en sus capilares, y también en el sistema vascular –venas y arterias–. Junto con los minerales, las proteínas cumplen aquí una acción fundamental al ayudar a mantener el agua en cada una de esas zonas.

5 **Fortalecen el sistema inmunitario**: las proteínas dietéticas producen otras proteínas llamadas «anticuerpos», que se encuentran en la sangre y combaten la enfermedad. Ante el ataque de un virus determinado, una bacteria u otros agentes externos, los anticuerpos desactivan al invasor haciendo que sus células mantengan un «recuerdo» de cómo luchar la próxima vez con él.

«deberá beber como mínimo de ocho a diez vasos de agua por día»

PROTEÍNAS LEAN BODIES

Recuerde que el porcentaje total de proteínas deberá ser del 25% de su ingestión diaria. Si usted es muy activo, puede incluso llegar a ingerir hasta un 30% de proteínas.

Claras de huevo

Usted sólo comerá la parte del huevo que no contiene grasas ni colesterol. En el plan alimenticio Lean Bodies sólo consumirá las claras.

Carne blanca de ave (pollo o pavo)

Esta fuente proteínica es muy rica en el complejo vitamínico B. La mejor manera de prepararla es al horno, a la plancha, a la parrilla o en el microondas.

Pescado

Es la fuente más saludable dentro de las proteínas porque se caracteriza por ser bajo en grasas y rico en ácidos grasos que ayudan a prevenir la trombosis sanguínea.

Los pescados que usted podrá consumir –preparados como se ha descrito en el apartado de las carnes blancas– son:

Atún	Bacalao	Caballa
Gambas	Lenguado	Merlango
Merluza	Mero	Pez espada
Róbalo	Salmón	Tiburón
Trucha	Perca	Marina
Halibut	Mahi mahi	

Carne roja

Si bien es cierto que la carne constituye una fuente esencial de hierro y vitamina B12, está llena de grasas saturadas, por lo que no resulta una buena elección si está intentando perder peso. A excepción de que su médico se la haya recetado por falta de hierro, elimínela completamente de su dieta.

(Nota: Tenga en cuenta que, como en esta dieta la ingestión de proteínas es alta, deberá beber como mínimo de ocho a diez vasos de agua por día.)

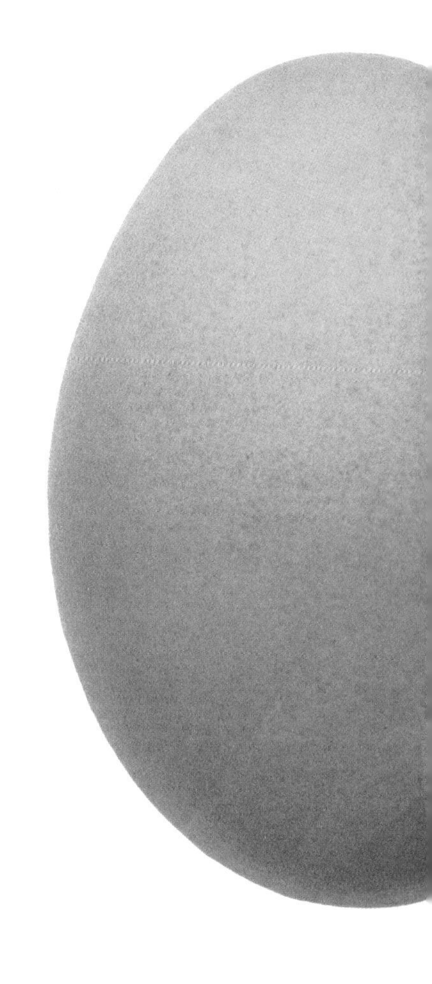

LOS CARBOHIDRATOS

Los carbohidratos se dividen en dos grupos: azúcares simples –que se encuentran en dulces, jarabes, frutas y zumos, y en los alimentos procesados–, y carbohidratos complejos. Éstos, por más que aparentemente pertenezcan al mismo grupo, no actúan de la misma manera debido a su estructura molecular. Mientras que los azúcares simples se convierten fácilmente en grasa –éste es el caso de ciertas frutas y zumos–, no sucede así con los carbohidratos complejos. (También en este sentido, en el programa Lean Bodies queda terminantemente prohibida la leche –por la lactosa–, excepto que usted esté embarazada.)

Ahora bien, son precisamente los carbohidratos complejos los que no se convierten tan fácilmente en grasa. Ellos son: los compuestos de almidón y las fibras vegetales.

«los carbohidratos complejos se dividen en compuestos de almidón y fibras vegetales»

Compuestos de almidón

Son los cereales naturales e integrales como el arroz y la harina de avena; las alubias y las legumbres, como los frijoles y las lentejas; los guisantes y las patatas. Deben constituir el 65% de la ingesta diaria.

Alforfón	Cebada	Frijoles
Guisantes	Judías	Garbanzos
Lentejas	Mijo	Legumbres
Patatas	Trigo	Alubias rojas
Arroz integral	Copos de avena	Cereales naturales

(Nota: Inicialmente, los refinados como el pan y las pastas están excluidos de la dieta por estar demasiado procesados, lo que hace que se conviertan con facilidad en azúcar y grasas.)

Fibras vegetales

Berros	Coliflor	Berenjenas
Escarola	Brócoli	Espárragos
Espinacas	Nabos	Lechugas
Cebollas	Perejil	Chirivía
Puerros	Setas	Col china
Brotes de alfalfa	Col de Bruselas	Brotes de bambú
Zanahoria	Alcachofas	

«el AEG es una grasa esencial necesaria para el buen funcionamiento del cuerpo»

LAS GRASAS

Contrariamente a lo que se cree, no todas las grasas son «malas»; muy al contrario, algunas de ellas son vitales para la salud como el AEG, elaborada a partir de compuestos llamados ácido oleico, ácido linoleico, ácido lonolénico y ácido araquidónico, que se encuentran todas ellas en los aceites vegetales. (Ácidos grasos como el Omega-3 se encuentran en el pescado.)

Estas sustancias seudovitamínicas, los AEG, poseen un efecto protector para el organismo. Estas grasas esenciales –llamadas así porque el organismo no puede fabricarlas– son necesarias tanto para el buen funcionamiento del cuerpo como para el mantenimiento del nivel de energía.

La cantidad que su organismo necesita –según el programa dietético– es sólo de un diez por ciento. Esta baja proporción es para prevenir la acumulación de grasas.

Usted deberá añadir cada día una cucharadita de un AEG a su dieta. Debe saber que una deficiencia de AEG se manifiesta típicamente en la piel seca y escamosa y en el dolor y la rigidez articular. Las mejores fuentes son:

- Aceite de cártamo.
- Aceite de lino.
- Aceite de linaza.
- Aceite Evening Primorose (de 4 a 6 cápsulas diarias).

(Nota: Tenga en cuenta que un aceite como el TCM –que se encuentra en los centros de nutrición para deportistas–, es un producto cien por cien natural derivado del aceite de coco. Esta grasa –que no se convierte en grasa corporal ya que no se almacena fácilmente–, sirve para rociar los vegetales y posee un sabor tan apetecible como el aceite que usted acostumbra a consumir.)

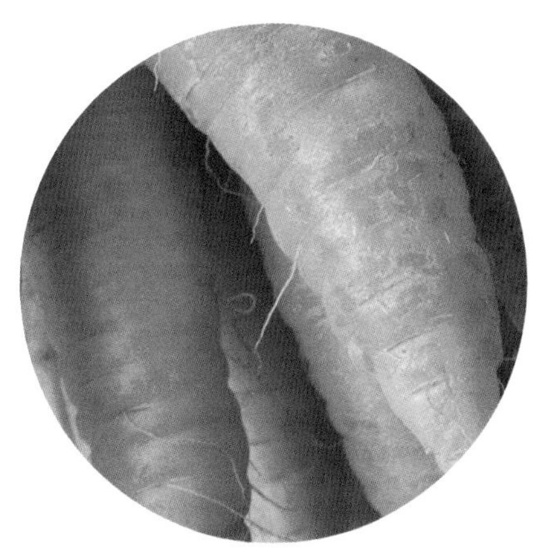

¿Cómo lograr un cuerpo más enjuto en sólo 7 semanas?

Lo primero que usted debería hacer –si sus posibilidades se lo permiten– es tomar mediciones sobre su grasa. La «pesada hidrostática bajo el agua» si bien constituye un método complejo para medir la grasa del cuerpo es el más seguro. Para ello, un técnico entrenado utiliza un tanque de agua o una piscina y una escala con un asiento. Para conseguir la medida exacta, pésese primero, después sumérjase bajo el agua expeliendo todo el aire de sus pulmones, donde se le tomará el peso bajo el agua. Esta medida, siguiendo una determinada fórmula, al ser comparada con la otra dará como resultado la cantidad exacta de grasa de su cuerpo.

(Nota: También podrá conocer la cantidad de grasa de su cuerpo por medio de técnicas de ultrasonido o de calibradores.)

(Recuerde que usted comienza ingiriendo un determinado número de calorías que, a lo largo de cada semana irá añadiendo.)

MUJERES

■ 1ª semana (calorías: 1.539)

• **Desayuno:** 4 cucharadas de polvo de maíz ; 3 claras de huevo; 1/2 cuch. de salsa picante y 1/2 cuch. de aceite TCM.

• **Comida simulada:** 2 cuch. (50 g) de suplemento de m mezclados con agua o Tang no azucarado.

• **Comida:** 75 g pechuga de pollo. Arroz moreno (1/3 de taza). 2 tazas de brócoli. 1/2 taza de guisantes.

• **Merienda:** 100 g de yogur sin grasa. 4 pastelitos de arroz.

• **Cena:** 80 g de bacalao. 225 g de patatas. 2 tazas de col rizada. Ensalada compuesta por: 1 taza de lechuga troceada, 1/2 taza de tomates y 1/ taza de zanahorias.

■ 2ª semana (calorías: 1.616)

• **Desayuno:** 3 claras de huevo. Arroz moreno (proporción igual a la inicial).

• **Comida simulada:** 50 g de suplemento mezclado con agua o Tan sin azúcar.

• **Comida:** 100 g de bacalao al horno. Arroz moreno. 1/2 taza de guisantes. 1/2 taza de zumo.

• **Merienda:** 4 pastelitos de arroz. 30 g de suplemento de carbohidrato.

• **Cena:** 122 g de pechuga de pollo al horno. 280 g de patatas. 1 taza de brócoli. 1 taza de nabo.

■ 3ª semana (calorías: 1.700)

• **Desayuno:** Avena (cocine 8 cuch., según indicaciones en el en-

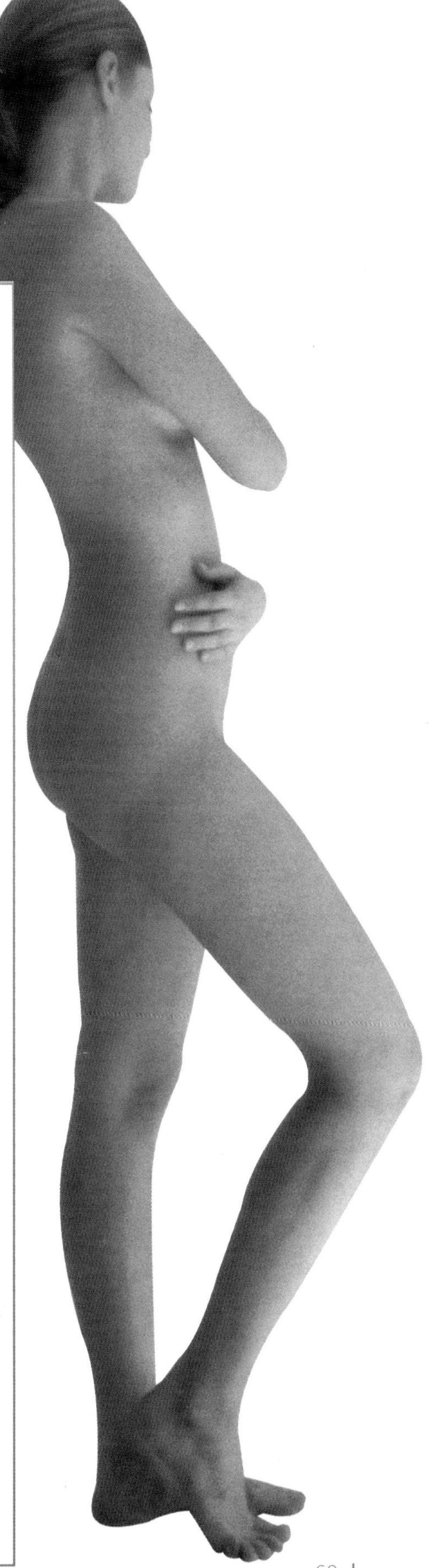

vase). 4 grandes claras de huevo montadas con 2 cuch. de salsa picante.

• **Comida simulada:** 56 g de suplemento mezclado con agua o Tang sin azúcar.

• **Comida:** 85 g de pechuga al horno. 224 g de patatas. 2 tazas de brócoli. 1/2 taza de habichuelas pinta

• **Merienda:** 224 g de yogur sin grasa. 54 pastelitos de arroz.

• **Cena:** 85 g de bacalao al horno. 1 taza de coliflor. Arroz moreno. 1 taza de verduras.

4ª semana (calorías: 1.800)

• **Desayuno:** Polvo de maíz (8 cuch. según envase) 30 g de suplemento de carbohidrato. 1 taza de leche desnatada.

• **Comida simulada:** 50 g de suplemento carbohidrato con agua o Tang sin azúcar.

• **Comida:** 100 g de pollo. 170 g de patatas. 2 tazas de brócoli.

• **Comida simulada:** 50 g de suplemento de carbohidrato con agua o Tang sin azúcar.

• **Cena:** 100 g de pechuga de pavo. 2 tazas de coliflor o de arroz moreno. 2 tazas de col rizada.

5ª semana (calorías: 1.900)

• **Desayuno:** 1 taza de avena.

• **Comida simulada:** 50 g de suplemento de carbohidrato con agua o Tang sin azúcar.

• **Comida:** 85 g de pechuga de pollo. 280 g de patatas. 2 tazas de brócoli. Arroz moreno.

• **Merienda:** 50 g de carbohidrato mezclado con agua o Tang sin azúcar.

• **Cena:** 85 g de bacalao. Ensalada compuesta por: 1 taza de lechuga. 1/2 taza de tomate y 1/ taza de zanahorias. 1 taza de verduras.

6ª semana (calorías: +2000)

• **Desayuno:** 1 taza de puffed kasha. 28 g de polvo de proteína mezclado con 1 taza de leche desnatada.

• **Minicomida:** 2 tortillas de maíz. 1/2 taza de arroz. 1/2 taza de alubias pintas.

• **Comida:** 112 g de pechuga de pavo. 280 g de patatas. 2 tazas de brócoli. 1 taza de guisantes

• **Comida simulada:** 50 g de suplemento de carbohidrato mezclado con agua o Tang sin azúcar.

• **Cena:** 3 claras grandes de huevo montadas. 336 g de patatas. 280 g de guisantes. 1 taza de nabos.

7ª semana (calorías: +2.100)

• **Desayuno:** 1 taza de avena. 3 claras de huevo grandes montadas. 1 taza de leche desnatada.

• **Comida simulada:** 50 g de suplemento de carbohidrato mezclado con agua o Tang sin azúcar.

• **Comida:** 112 g de castañola. 336 g de patatas. 1 taza de alubias de Lima. 1 $^1/_2$ tazas de col.

• **Comida simulada:** 50 g de suplemento de carbohidrato mezclado con agua o Tang sin azúcar.

• **Cena:** 100 g de pechuga de pollo. 336 g de patatas. 2 tazas de brócoli. 2 tazas de maíz.

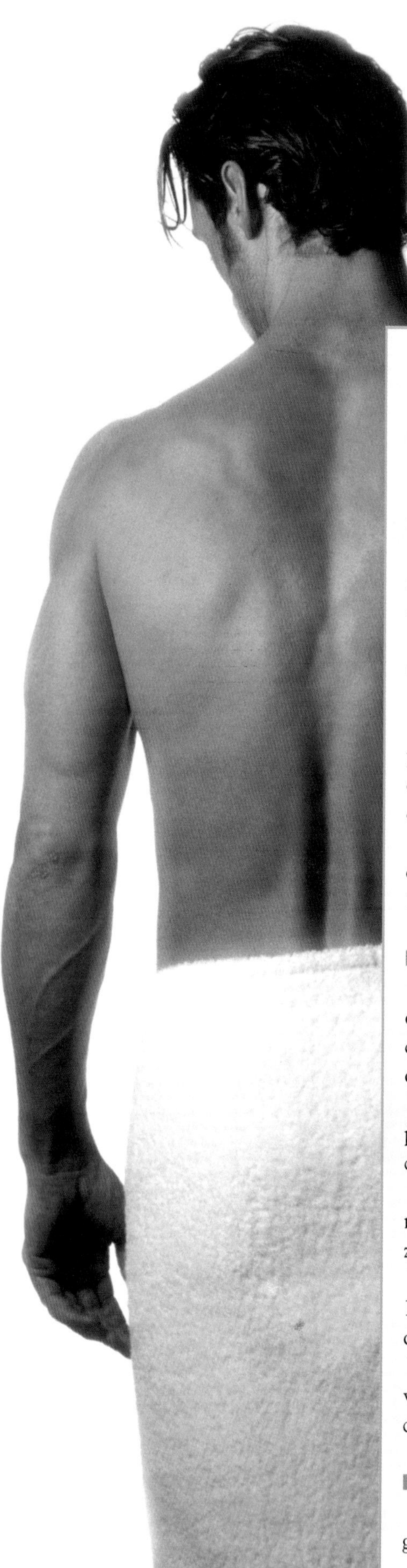

PLAN DE COMIDAS

HOMBRES

1ª semana (Calorías: +2.300)

- **Desayuno:** 1 taza de avena. 170 g de yogur sin grasa. 1 cucharada de aceite TCM.
- **Minicomida:** 2 tortillas de maíz. 1/2 taza de arroz. 1/2 taza de alubias pintas.
- **Comida:** 170 g pollo. Arroz moreno. 1 taza de alubias de Lima. 1 taza de judías verdes.
- **Comida simulada:** 50 g de suplemento de carbohidrato y 25 g de polvo de proteínas mezclado con agua o Tang sin azúcar.
- **Cena:** 150 g de halibut. 280 g de patatas. 1 taza de judías verdes. 1 1/2 de col.

2ª semana (calorías: 2.500)

- **Desayuno:** 1 taza de avena. 3 claras de huevo grandes montadas. 1 taza de leche desnatada. 1 cucharada de aceite TCM.
- **Comida simulada:** 50 g de suplemento de carbohidrato mezclado con agua o Tang sin azúcar.
- **Comida:** 100 g de atún. Arroz moreno. 1 taza de guisantes. 1 taza de brócoli.
- **Merienda:** 2 tortillas de maíz. 1/2 taza de arroz (medida con cocción). 1/2 taza de alubias pintas.
- **Cena:** 150 g de pechuga de pavo. 450 g de patatas. 2 tazas de judías verdes. 2 tazas de brócoli.

3ª Semana (calorías: +2.770)

- **Desayuno:** 4 claras de huevo grandes montadas. 400 g de patatas. 1 taza de leche desnatada, 2 cucharadas de aceite TCM.
- **Comida simulada:** 50 g de suplemento de carbohidrato mezclado con agua o Tang sin azúcar.
- **Comida:** 170 g de pechuga de pavo. 336 g de patatas. 1 taza de judías verdes. 1/2 taza de maíz.
- **Merienda:** 2 tortillas de maíz. 1/2 taza de maíz. 1/2 taza de alubias pintas.
- **Cena:** 250 g de gambas. Arroz moreno. 3 tazas de brócoli. 1 taza de maíz.

4ª Semana (calorías: +2.900)

- **Desayuno:** 1 taza de avena. 4 claras de huevo grandes montadas. 110 g de yogur desnatado. 1 cucharada de aceite TCM.
- **Comida simulada:** 50 g de suplemento de carbohidrato mezclado con agua o Tang sin azúcar.
- **Comida:** 170 g de pollo. 210 g de patatas. 2 tazas de maíz. 1 1/2 de nabos. 2 cucharadas de aceite TCM.
- **Merienda:** 2 tortillas de maíz. 1/2 taza de arroz. 1/2 taza de alubias pintas.
- **Cena:** 168 g de pechuga de pavo. Arroz moreno. 1 taza de alubias y una taza de calabaza.

5ª semana (calorías: 3.100)

- **Desayuno:** Copos de cebada (cocine 84 g y reserve el resto). 3 claras grandes de huevo montadas. 50 g de suplemento de carbohidrato. 1 cucharada de aceite TCM.

• **Minicomida:** 50 g de atún. 280 g de patatas. 100 g de yogur desnatado.

• **Comida:** 100 g de pollo. Arroz moreno. 2 tazas de maíz. 2 tazas de brócoli. 1 cucharada de aceite TCM.

• **Comida simulada:** 50 g de suplemento de carbohidrato y 25 g de polvo proteínico mezclados con agua o Tang sin azúcar.

• **Cena:** 50 g de suplemento de carbohidrato. 168 g de merlango. 440 g de patatas. Ensalada compuesta por una taza de lechuga, 1/2 taza de tomate, 1/2 taza de zanahoria y una cucharada de aceite TCM. 1 taza de nabo.

6ª Semana (calorías: 3.300)

• **Desayuno:** Maíz. 4 claras de huevo grandes montadas con dos cucharadas de salsa picante. 2 cucharadas de aceite TCM.

• **Comida simulada:** 50 g de suplemento de carbohidrato mezclado con agua o Tang sin azúcar.

• **Comida:** 225 g de pechuga de pollo. 450 g de patatas. 2 tazas de brócoli. 1 taza de alubias de Lima. 2 cucharas de aceite TCM.

• **Minicomida:** 2 tortillas de maíz. 1/2 tortilla de arroz. 1/2 taza de alubias pintas.

• **Cena:** 225 g de bacalao. 2 tazas de coliflor. Arroz moreno. 1 1/2 de col. 1 cucharada de aceite TCM.

7ª Semana (calorías: 3.500)

• **Desayuno:** 1 taza de avena. 3 claras grandes de huevo montadas. 1 taza de leche desnatada. 1 cucharada de TCM.

• **Comida simulada:** 50 g de suplemento de carbohidrato mezclado con agua y Tang sin azúcar.

• **Comida:** 168 g de pechuga de pollo. 448 g de patatas. 1 taza de alubias. 1 taza de calabaza. 1 cucharada de aceite TCM.

• **Comida simulada:** 50 g de suplemento y 25 g de polvo proteínico mezclado con agua o Tang sin azúcar.

• **Cena:** 50 g de suplemento de carbohidrato. 120 g de pavo. Arroz moreno. 2 tazas de maíz. 2 tazas de judías verdes. 2 cucharadas de aceite TCM.

De todas formas, no olvide que no puede saltarse ninguna comida y que puede continuar con un plan de comidas (tanto para hombres como para mujeres) en el que cada comida debe incluir:

1 proteína enjuta.
1 ó 2 de almidón.
1 ó 2 vegetales de fibra.

La dieta de combinación de alimentos del Dr. H. Shelton

Lo primero y fundamental que usted deberá recordar para comprender este tipo específico de nutrición basado en la combinación de alimentos es que –tal como se ha explicado a lo largo del libro–, las sustancias que se ingieren en las comidas se clasifican en proteínas, KC (que incluyen a los azúcares, los almidones, las pentosas, etc.), grasas y aceites, sales minerales y vitaminas. Ahora bien, según los fundamentos que rigen a esta dieta, los alimentos serán clasificados –además– en almidones y en alimentos ácidos y semiácidos, para lo cual usted deberá tener siempre a mano la siguiente lista que le ofrecemos a continuación.

Esta dieta permite comer una gran variedad de alimentos según cierta combinación específica, teniendo en cuenta que las toxinas generadas por los procesos fermentativos son las que conducen a la irregularidad metabólica y, por tanto, indefectiblemente a la obesidad.

ALIMENTOS DE ALTO CONTENIDO PROTEICO

- Frutos oleaginosos (nueces, almendras, avellanas, etc.); todos los cereales; judías secas; garbanzos; granos de soja; cacahuetes; quesos; aceitunas; leche (con más bajo contenido proteico); todo tipo de carne y de pescado (excepto la grasa)
- **Las pentosas**, que abarcan a los almidones, los azúcares y jarabes, y las frutas dulces.
- **Almidones:** comprenden todos los cereales; habas y judías secas (excepto los granos de soja); garbanzos y leguminosas secas; patatas; cacahuetes; boniatos; plátanos; calabazas; y castañas. Otros alimentos con menor cantidad de almidón son: las remolachas y la coliflor.
- **Azúcares y jarabes:** azúcar moreno y blanco; jarabe de caña; miel de abeja; azúcar de leche.
- **Frutas dulces:** dátiles; higos; plátanos; uvas pasas, uvas moscatel; ciruelas secas; peras secas y caquis.

«las toxinas generadas por los procesos fermentativos son las que conducen a la irregularidad metabólica y, por tanto, indefectiblemente a la obesidad»

ALIMENTOS DE ALTO CONTENIDO EN GRASAS

- Manteca; mantequilla; nata; margarina; aceite de nueces; aceite de girasol; aceite de sésamo; aceite de almendras; aceite de maíz; aceite de oliva; aceite de soja; aguacates; carnes grasas y embutidos.

ALIMENTOS ÁCIDOS

- Casi todas las frutas ácidas: naranjas; granadas; manzanas ácidas, ciruelas; uvas ácidas; melocotones ácidos; grosellas; pomelos; tomates; fresas; frambuesas; piñas; limones.

ALIMENTOS SEMIÁCIDOS

- Higos frescos; papayas; peras; manzanas dulces; albaricoques; cerezas dulces; ciruelas dulces; mangos.
- Hortalizas y verduras sin almidón: lechuga; achicoria; brócoli; berros; apios; coles; nabos; coles de Bruselas; perejil; puerros; espárragos; escarola; endivias; espinacas; ajos; pimientos dulces; cebollas; cebolletas; judías verdes; rábanos.
- Melones (todo tipo de melones y sandías).

¿Cuánto tiempo puede seguir esta dieta?

Casi se prodría afirmar que, cada cierto tiempo, usted puede realizarla sin ningún tipo de problemas, durante un período no mayor a tres meses y siempre que consuma la mayor variedad de alimentos según su posible combinación.

Las toxinas y la digestión de los alimentos

Durante el proceso de la digestión, los alimentos son desintegrados para transformase así en nutrientes. Este proceso, que es en parte mecánico –masticación, deglución y mezcla de alimentos en el estómago–, es también químico y esto último, se denomina «fisiología de la digestión».

Ahora bien, si usted desea optar por esta dieta, deberá reflexionar muy seriamente sobre el aspecto químico que aquí se explica, ya que éste se refiere a los cambios que sufren los alimentos dentro del tracto digestivo. En este sentido, nos concentraremos en la digestión bucal y estomacal, y no tanto en la que se produce a nivel intestinal.

Lo primero que usted debe saber respecto de la digestión es que ella depende en gran parte de unos agentes químicos llamados enzimas capaces de facilitar –en condiciones muy específicas– la transformación de los alimentos. Sin embargo, la prioridad otorgada a dichos agentes en los principios de esta dieta no es casual, ya que de ellos depende el correcto proceso de la digestión. En efecto, si una digestión es deficiente los alimentos ingeridos se transforman a lo largo del proceso en toxinas y, consecuentemente, en obesidad. Esto se explica porque cada vez que un alimento determinado retarda por algún motivo su digestión –cuando las enzimas no pueden trabajar al completo– se produce un proceso fermentativo que deviene en alteraciones metabólicas.

Pero para comprenderlo mejor vayamos paso a paso. Las enzimas de la boca constituyen el primer peldaño dentro del proceso. La masticación tiene como objetivo el reducir los alimentos en partículas saturadas cuidadosamente por la saliva. Sin embargo, de todos los alimentos que consumimos, sólo aquellos que contienen almidón inician aquí su digestión química. Aunque si bien sería muy complejo explicar en tan pocas líneas cómo éstos van transformándose en el transcurso del proceso, lo que interesa es que siempre resultará más beneficioso no mezclarlos con algunas otras sustancias con el fin de no favorecer su fermentación cuando lleguen al estómago, ya que allí, el jugo gástrico deberá realizar entonces todo el trabajo. El jugo gástrico, por su parte, puede oscilar ante los alimentos desde una reacción neutra a una reacción ácida muy fuerte. Él contiene en sí tres enzimas: la pepsina, que actúa sobre las proteínas; la lipasa, que tiene una acción ligera sobre las grasas; y el labfer-

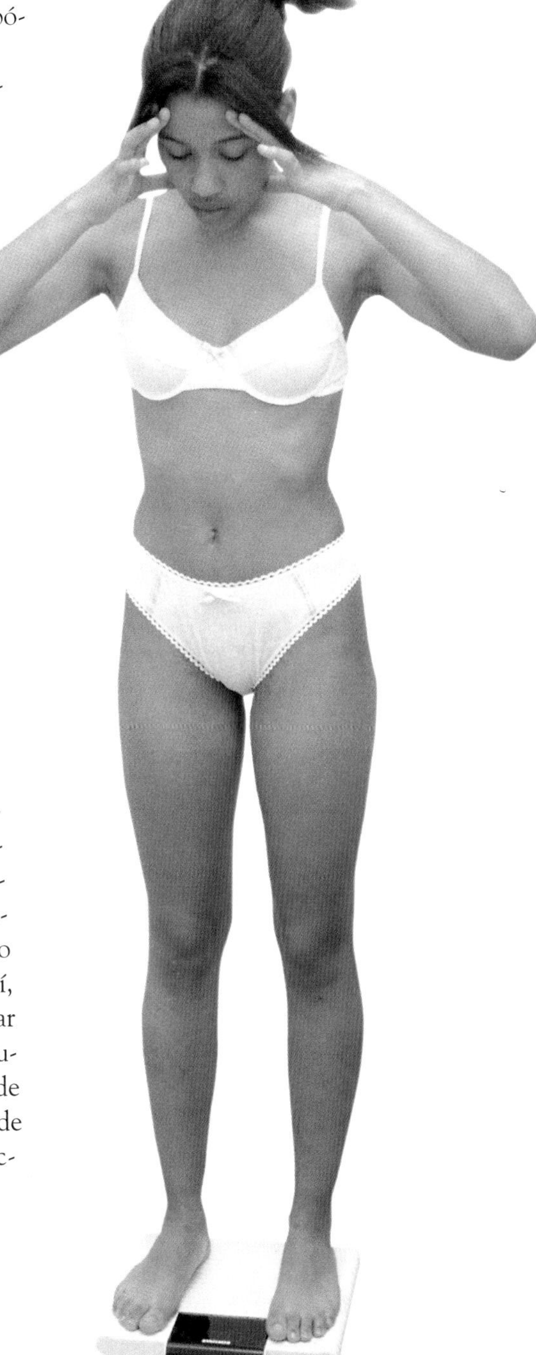

Aspectos positivos de esta dieta

Se trata no sólo de un sistema alimenticio que sirve para adelgazar con cierta rapidez sino que, además, es un importante plan desintoxicante. Verdaderamente, con esta dieta el aparato digestivo trabaja de un modo más relajado y óptimo.

Aspectos negativos de esta dieta

Aquellas personas que la han continuado durante mucho tiempo han percibido ciertas reacciones secundarias, como mareos por falta de azúcar. Es conveniente que, si usted decide realizarla por un período superior al recomendado, consulte con su médico.

mento, que coagula la leche. Para comprender esta dieta, usted sólo deberá tener en cuenta la acción de la pepsina, ya que ella es la única enzima –si bien existen otras que intervienen en el proceso– capaz de iniciar la digestión de todo tipo de proteínas, que se inhibirá a su vez si se ve obligada a digerir los almidones.

Ahora bien, hasta el momento, muchos habían creído que los procesos fermentativos, por ser comunes a todos los seres humanos –y más aún si se habla de la fermentación intestinal– eran normales. Nada más lejos de la realidad. Cada vez que se produce fermentación se genera, de un modo u otro, un importante número de toxinas. Culturalmente, muchos de los bocadillos, aperitivos, y comidas que se consumen están basados en principios de sobrealimentación y en la mala combinación de los alimentos. Entonces, ¿por qué se deben aceptar como normales aquellas funciones orgánicas que, aunque debilitan a muchos seres humanos, se creen buenas porque ocurren a todos?

La primera consideración a tener en cuenta en este sentido será entonces: no cualquier cosa que sucede a todos es siempre la correcta.

Por esto, lo que usted deberá plantearse al seguir esta dieta es: ¿de qué le vale consumir cada día las calorías necesarias si los alimentos ingeridos fermentan y se pudren en el tubo digestivo? Considere la siguiente comprobación: el alimento al corromperse no aporta ninguna caloría al organismo.

A *modo de ejemplo*. Si las proteínas se combinan con alimentos inadecuados, entonces las proteínas se pudren en el conducto gastrointestinal y no logran convertirse en aminoácidos. Luego, de nada sirve que usted coma las cantidades correctas de proteínas ya que ellas no son asimiladas por el organismo. Piense seriamente que cada vez que usted produce algún tipo de fermentación, está generando toxinas en su organismo y que éstas, después de varios procesos, o bien derivan en grasas, o bien ayudan a que éstas se solidifiquen en zonas determinadas.

Combinaciones de alimentos que sobrepasan las limitaciones de las enzimas

Como se ha explicado, las enzimas son las encargadas de llevar a cabo el proceso de la digestión según el tipo de sustancia ingerida. En términos generales, convengamos que además de muchos procesos y otras enzimas que intervienen, las enzimas de la boca, las del estómago, o las del intestino, se encargan de trabajar sobre los almidones, las proteínas o los azúcares, respectivamente. Sin embargo, si algunas de estas sustancias son combinadas inadecuadamente, la fermentación resulta ser el peor resultado de dicho proceso. Veamos cuáles son las combinaciones erróneas.

COMBINACIÓN DE ÁCIDOS CON ALMIDONES

Cualquier ácido destruye la enzima de la saliva –ptialina–, cosa que detiene la digestión de los almidones, que comienza en la boca. El hecho de que se coman frutas ácidas acompañadas de cereales, por ejemplo, es bien aceptado por el organismo –aunque contradiga de algún modo lo explicado anteriormente– porque el almidón no digerido en esta etapa será, más adelante, reducido por el jugo pancreático. De todas formas, cuanto más completo sea el trabajo hecho por la saliva, más aliviadas quedarán el resto de las funciones y mejor será la perfección del trabajo digestivo. Por tanto, la pauta dietética a seguir será la siguiente:

No se deben tomar nunca ácidos con almidones en una misma comida; deberán ingerirse en comidas separadas.

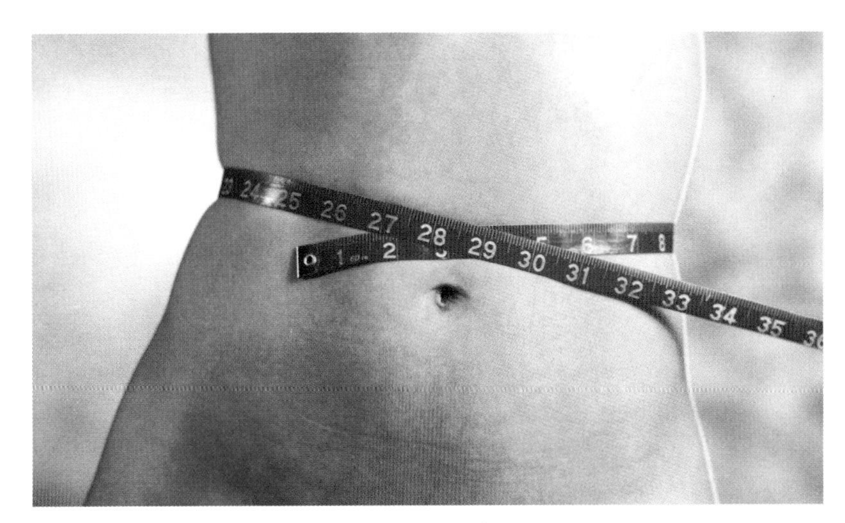

COMBINACIÓN DE PROTEÍNAS CON ALMIDONES

La enzima del estómago, la ptialina, que favorece la digestión de las proteínas, necesita de un medio esencialemente ácido para realzar su función, mientras que se pierde por completo si la mezcla es alcalina.

Por tanto, de esto se deduce que aquello que ayuda a la digestión péptica –los ácidos– es lo mismo que impide la acción de la saliva.

El hecho de que el estómago segregue un tipo de jugo ante las proteínas y otro diferente ante los almidones, hace que ese «ajuste» de jugos –por ejemplo, si se comen pan y carne juntos– requiera un doble trabajo, ya que deberá ser extremadamente ácido para la digestión de las proteínas, inhibiendo la digestión del almidón que requiere un medio más alcalino. La siguiente pauta a tener en cuenta es entonces:

No tomar nunca en una misma comida proteínas con almidones.

COMBINACIÓN DE PROTEÍNAS CON PROTEÍNAS

Aunque parezca extraño, las proteínas también deben ingerirse con cuidado. La leche, por ejemplo, que se digiere mucho después que la carne, necesita de un jugo gástrico más ácido que ésta, mientras que los huevos necesitan a su vez una secreción mucho más concentrada en un momento distinto al de estos alimentos. De hecho, si bien usted podrá tomar proteínas en esta dieta, lo que no podrá hacer es mezclarlas, es decir, que no podrá comer en una misma ingestión huevos con carne, o carne con nueces, o carne con huevos, o nueces con quesos, por ejemplo. Por lo que la siguiente pauta es:

Tomar un sólo alimento que tenga una proteína concentrada.

COMBINACIONES DE ÁCIDOS CON PROTEÍNAS

Si bien el estómago necesita de un medio ácido para digerir las proteínas, un exceso de acidez puede producir la detención de dicha acción e, incluso, destruirla.

El limón, el vinagre, u otros ácidos utilizados como aderezos para ensaladas, producen un abrupto freno del ácido clorhídrico, impidiendo de este modo la digestión de las proteínas. Entonces, la pauta básica a seguir es:

No tomar nunca ácidos y proteínas en una misma comida, sólo hacerlo en comidas separadas.

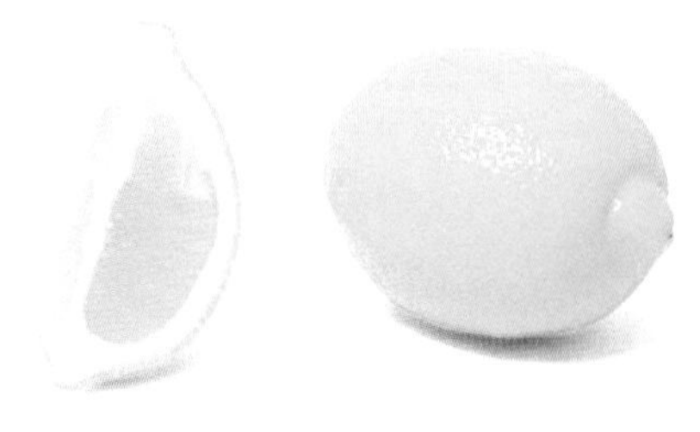

COMBINACIONES DE GRASAS CON PROTEÍNAS

La grasa tiene la propiedad de retrasar la secreción gástrica que debe verterse sobre el siguiente alimento, cosa que en condiciones normales sería digerido de inmediato.

En otras palabras, mantequilla, nata, aceites y carnes grasas, por ejemplo, no deberán ingerirse nunca con nueces, quesos, huevos o carne. De todas formas, si usted necesita hacerlo por algún motivo, el consumir mucha verdura de tallo verde puede ayudar. La regla a considerar en este aspecto es:

Nunca deberán ser ingeridas las grasas y las proteínas en una misma comida.

COMBINACIÓN DE AZÚCARES CON PROTEÍNAS

Tenga en cuenta que todos los azúcares tienen un efecto inhibidor sobre la secreción gástrica –causa por la que tal vez las madres prohíben a sus hijos consumir dulces antes de las comidas.

Los azúcares, que no comienzan su digestión en la boca ni en el estómago, retardan el proceso digestivo al ser acompañados por otros alimentos, ya que ellos son digeridos en el intestino. Al quedarse en el estómago –a la espera de la digestión de otros alimentos proteicos, por ejemplo–, fermenentan durante la espera, por lo que la regla a seguir es la siguiente:

No tomar nunca azúcares y proteínas en una misma comida.

COMBINACIÓN DE AZÚCARES CON ALMIDONES

La digestión del almidón comienza, como se ha explicado, en la boca, para continuar en condiciones normales en el estómago. Tal como se ha indicado, los azúcares se digieren en el intestino delgado. Cuando los tomamos solos, éstos pasan rápidamente del estómago al intestino, pero cuando los mezclamos con otro tipo de alimentos y deben esperar en el estómago, tienden a convertirse en un fermento ácido –muy velozmente– por acción del calor y la humedad.

Se ha comprobado que la ingesta de azúcar con almidón tiende indefectiblemente a frenar la digestión de éste último. Como verá, muchos alimentos que usted considera saludables pueden convertirse en dañinos si estan mal combinados. Sobre la base de esto, la siguiente pauta a seguir es:

Nunca deberá tomar azúcares y almidones en la misma comida.

«muchos alimentos saludables pueden convertirse en dañinos si están mal combinados»

LOS MELONES

Realmente resulta increíble la cantidad de gente que se priva de comer esta sabrosa fruta sólo porque aseguran que les sienta mal. Otros, por el contrario, explican su rechazo a factores alérgicos. Por lo pronto, se ha demostrado que este alimento tan saludable puede darse aún a las personas más delicadas de salud si se sabe administrar. El secreto estriba fundamentalmente en que su digestión se realiza sólo en el intestino por lo que, si se toma solo, apenas estará unos pocos minutos en el estómago y pasará automáticamente a la zona intestinal. La pauta a seguir es que siempre deberá tomarlos solos, lejos de las comidas y, al menos, en un intermedio de tres horas entre cada ingestión.

LA LECHE

A pesar de lo que se cree, y pese a lo que se insiste a través de los medios de comunicación, la leche constituye un nutriente que se combina bastante mal con todos los alimentos debido a las proteínas y a la grasa que contiene. Sólo podría aceptarse la leche combinada con frutas ácidas, por lo que la regla a seguir en este caso es la siguiente: consuma la leche sola o, por el contrario, deje de consumirla.

MENÚS TIPO PRIMAVERA O VERANO

(ejemplo semanal)

	Desayuno	Almuerzo	Cena
1º día	Sandía	Ensalada verde Acelgas Calabaza Patatas	Ensalada verde Habichuelas Frutos oleaginosos
2º día	Melocotones Cerezas Albaricoques	Ensalada verde Hojas de remolacha Zanahorias Habas al horno	Ensalada verde Espinacas Col Requesón
3º día	Melón	Ensalada verde Coliflor Calabaza Alcachofas	Ensalada verde Coliflor Maíz blando Aguacate
4º día	Cerezas con crema, sin azúcar	Ensalada verde Coliflor Espinacas Arroz integral	Ensalada verde Calabacines Hojas de nabo Chuletas de cordero
5º día	Albaricoques Ciruelas	Ensalada verde Repollo Zanahorias Boniatos	Ensalada verde Hojas de remolacha Judías verdes Frutos oleaginosos
6º día	Sandía	Ensalada verde Berenjenas al horno Acelgas Pan de trigo integral	Ensalada verde Calabaza Espinacas Huevos
7º día	Plátanos Cerezas Un vaso de leche cuajada	Ensalada verde Judías verdes Endivias Patatas	Ensalada verde Col rizada Coliflor Soja germinada

MENÚS TIPO OTOÑO E INVIERNO

(ejemplo semanal)

	Desayuno	Almuerzo	Cena
1º día	Uvas Plátanos Dátiles	Ensalada verde Repollo chino Espárragos Patatas al horno	Ensalada verde Espinacas Calabaza Habas al horno
2º día	Nísperos Peras Uvas	Ensalada verde Hojas de nabo Zanahorias Arroz integral	Ensalada verde Col rizada Calabaza Aguacate
3º día	Peras Nísperos Plátano Un vaso de leche cuajada	Ensalada verde Brócoli Habas tiernas sin fibra Patatas	Ensalada verde Tomates Calabaza rallada Queso tipo Gruyère
4º día	Papaya Naranjas	Ensalada verde Calabaza Chirivías Pan de trigo integral	Ensalada verde Col lombarda Judías verdes Semillas de girasol
5º día	Nísperos Uvas Dátiles	Ensalada verde Zanahorias Espinacas	Ensalada verde Acelgas Calabazas Queso tierno
6º día	Pomelos	Ensalada verde Guisantes frescos Col rizada Coco	Ensalada verde Espinacas Cebollas al vapor Chuletas de cordero
7º día	Melón	Ensalada verde Habichuelas Sopa de verduras Boniato	Ensalada verde Tomate Berenjenas al horno Avellanas

10 puntos a tener en cuenta (si se decide a seguir esta dieta)

1 Al preparar sus platos, respete las combinaciones permitidas.

2 De los alimentos que usted pueda ingerir en una misma comida, consuma la cantidad que desee.

3 Nunca realice menos de tres comidas diarias.

4 Entre cada comida, deje al menos que transcurran tres horas.

5 Si consume melón, sandía o miel, no beba ningún líquido ni antes ni después de la ingesta. Recuerde que estos alimentos deberán comerse solos.

6 No se prive de comer en restaurantes. Recuerde que es usted quien puede elegir la forma de consumir los alimentos.

7 Olvídese de los postres, el azúcar y los jarabes.

8 Observe nuevamente los ejemplos de menús según las estaciones del año.

9 Durante los primeros veinte días de comenzar este régimen nutricional, su metabolismo puede verse obligado a readaptaciones sistemáticas, por lo que prohíbase terminantemente ingerir alguna combinación de alimentos tóxica.

10 Beba mucha agua, infusiones, o bebidas sin azúcar y sin cafeína.

LA COMBINACIÓN DE LOS ALIMENTOS

Con el fin de que usted pueda observar con mayor claridad cada una de las pautas que han sido descritas en esta dieta, le ofrecemos el siguiente cuadro para que lo utilice como guía una vez que haya comprendido las bases de esta dieta de extraordinarios resultados.

Alimentos	Combinaciones Buenas	Combinaciones Malas
Frutas dulces o muy poco ácidas	Leche cuajada	Frutas ácidas Proteínas Leche Cereales Pan, patatas, etc.
Frutas ácidas	Aceptable con leche y con nueces	Azúcares,almidones y proteínas, excepto con nueces
Verduras (incluidas lechugas)	Todas las proteínas y los almidones	Leche
Almidones o harinas	Verduras, grasas y aceites	Todas las proteínas, ácidos, frutas y azúcares
Carne y pescado	Verduras	Leche, azúcares, almidones, otras proteínas, frutas, vegetales, ácidos, mantequilla, nata, aceites, tocino y manteca
Huevos	Verduras	(Igual que en el caso anterior)
Queso	Verduras	(Igual que en el caso anterior)
Leche	Mejor tomarla sola (Aceptable con frutas ácidas)	Todas las proteínas, verduras y almidones
Grasas y aceites	Con verduras	Todas las proteínas (Mantequilla, nata, tocino, etc.)
Melones y sandías	Solos	Todos los alimentos
Legumbres secas	Verduras	Proteínas, azúcares, leche, frutas, aceites y grasas

La dieta amucosa del profesor Arnold Ehret

El principio sobre el que se fundamenta esta dieta es que cualquier atascamiento en el sistema tubular del cuerpo responde a una acumulación determinada de mucus.

En este sentido, Ehret considera que existen puntos especiales en el organismo donde se produce dicha acumulación, a saber: la lengua, el estómago y, muy sintomáticamente, en el aparato digestivo.

Según esta visión, las personas enferman y padecen defectos metabólicos –y consecuentemente obesidad–, por el mayor o menor grado de taponamiento mucoso en el sistema. Es por esto que la dieta amucosa consiste en consumir toda clase de frutas, tanto cocidas como crudas, vegetales sin almidón y la mayoría de los vegetales verdes. Para seguir esta dieta, usted deberá estar no sólo dispuesto a realizar algunos días de ayuno, sino también a cambiar su alimentación por aquellas comidas que no produzcan mucus.

Por otra parte, los resultados de esta dieta también se han visto favorecidos por la «limpieza» que se realiza de todo el organismo. Tenga en cuenta que con ella usted podrá liberar toda la acumulación de desechos fisiológicos que hay en su organismo, no sólo dañinos para la salud sino también perjudiciales de la vitalidad orgánica.

3 principios básicos en los que se basa la dieta amucosa

1 La vitalidad de un organismo no depende en absoluto del alimento que se ingiera sino de la obstrucción que éste padezca.

2 Remover el exceso de mucus o de heces por medios artificiales es ante todo un peligro para la vitalidad.

3 El límite hasta el cual se puede prescindir de alimentos sólidos es hasta ahora desconocido.

¿Cómo liberarse de las obstrucciones y llegar al peso ideal?

Antes que nada, se debe hacer hincapié en que esta dieta es sólo un sistema de cambios dietéticos, donde la eliminación de «materia enfermante» que lo llevarán automáticamente a su peso ideal.

Una de las ventajas de esta dieta es que si bien debe seguirse por un período breve, lo cierto es que, tratándose de un proceso regenerativo, usted podrá aplicar siempre que quiera estos breves períodos de dieta de limpieza. La combinación de los alimentos también se tiene aquí en consideración –como se ha descrito en la dieta del Dr. Shelton–, aunque con diferencia de matices.

Por ejemplo. Usted podrá comer carne, huevos, quesos y leche junto con alimentos ricos en almidón, siempre que ingiera frutas y vegetales sin almidón. Es decir: los alimentos mucosos son permitidos siempre que se combinen con uno amucoso.

Tal como se ha comprobado científicamente, cuando un alimento fermenta o se pudre dentro del organismo, forma ácidos capaces de transformarse en mucus. Por esto, cuanto mayor es el poder de un alimento para neutralizar los ácidos, mejor es su cualidad amucosa.

Por ejemplo. Alimentos como los rabanitos negros, las espinacas o el eneldo, son excelentes barredores de mucus. Sin embargo, nunca es aconsejable realizar un cambio muy brusco respecto de la alimentación, por lo que resulta más conveniente comenzar por una dieta comucosa, es decir, por una leve transición entre alimentos nocivos y alimentos barredores o dieta amucosa.

Usted será, de este modo, el primero en saber cómo y cuándo equilibrar la cantidad de determinados alimentos de uno u otro tipo, según la velocidad de eliminación. Por lo pronto, al comenzar esta dieta, lo más aconsejable es que usted elimine por completo el desayuno, lo que equivale a no ingerir ningún alimento sólido. El objetivo de esta norma dietética es que el almuerzo «caiga» en un estómago vacío, recordando siempre que lo mejor es no hacer más de dos comidas al día. Resulta obvio que usted no se pasará toda la vida sin desayunar, esto durará sólo el tiempo necesario hasta que su estómago esté limpio.

¿Cuánto tiempo puede seguir esta dieta?

Obviamente sólo por un período muy breve, ya que pueden existir trastornos intestinales. La mejor sugerencia en este caso es que antes de iniciarla lo consulte con su médico.

Puntos claves que deberá tener en cuenta

1 No mezcle demasiadas clases de alimentos en una misma comida.

2 Nunca beba durante una comida.

3 Si acostumbra a tomar té o café, espere al menos 15 minutos antes de beberlo.

4 Evite las sopas, ya que el líquido dificulta la digestión.

5 Si considera que pierde peso muy rápidamente, consuma pan de centeno o patatas después de los vegetales.

6 Si siente irresistibles deseos de comer carne, coma durante el día sólo verduras, nunca frutas.

7 Compruebe usted mismo cuáles son los alimentos que para usted son más laxantes. Elíjalos especialmente.

8 La evolución del proceso curativo y, por ende, adelgazante, puede durar de una quincena a cuatro. Decida usted el tiempo según sus necesidades.

9 Sólo el apio crudo, la lechuga, las zanahorias y la remolacha combinan correctamente con las frutas. Recuerde además esta ley: Si el estómago está muy mucosado, usted deberá consumir más legumbres que frutas. Si por el contrario ya ha logrado una cierta limpieza, reduzca el consumo de legumbres y agregue más frutas a su dieta.

10 Si desea comer algún tipo de grasas, o algún alimento mucoso, pruebe con la siguiente receta: coco rallado mezclado con compota de manzanas y ciruelas secas. Acompañe esto de plátanos muy maduros.

11 Si desea eliminar mucus muy rápidamente, consuma pasas de uva, higos secos y nueces, masticando muy concienzudamente. Acompañe estos alimentos con cebollas de verdeo, que deberá masticar conjuntamente. Otro tipo de ingestión que acelera el proceso consiste en tomar rábanos picantes rallados con miel, en la proporción de 2/3 del primero por 1/3 de la segunda. Antes de consumirlo, recuerde que deberá dejar reposar la mezcla durante unos minutos para quitar el sabor fuerte del vegetal.

12 Las bebidas que usted se podrá permiti son: limonada con miel; jugo de frutas ácidas; café de cereales –excepto que al comienzo no se acostumbre a este último, puede durante el primer tiempo continuar consumiendo café normal pero muy liviano.

13 La dieta comucosa, o de transición, consiste en ingerir durante el período de adaptación a la dieta mucosa unas pequeñas raciones de alimentos compuestos de almidón, como arroz.

Dieta básica para un período de 60 días

Como habrá podido observar, si bien los mecanismos por los que actúa esta dieta pueden ser simples, mucho más lo es la forma en que usted decida seguirla.

Después de haber comprendido las trece claves imprescindibles, observe a continuación las dietas para la primera, segunda, tercera y cuarta quincena. Como se ha explicado ya, usted no tiene por qué realizarla durante cuatro semanas, aunque de todas formas tampoco sería conveniente que la abandonara después de la primera semana. Recuerde que el organismo necesita siempre un tiempo para asimilar los procesos. Considere seriamente que cuanto más rápido pasa la comida por el organismo, tanto más rápido el mucus es arrastrado. Las dietas base son éstas:

PRIMERA QUINCENA

■ Almuerzo:

Ensalada mixta compuesta por: zanahorias ralladas o coles frías. Dos o tres cucharadas de legumbres guisadas. Según la estación, agregue pepinos, tomates, cebollas de verdeo, lechuga, apio, etc. (Es decir que, como mínimo, usted deberá selecionar cuatro o cinco vegetales verdes de estación.)

Puede aderezarla con aceite de oliva y limón si lo desea, pero nunca con vinagre.

El segundo plato puede ser un vegetal crudo o cocido, acompañado de una rodaja de pan integral, que puede ser suavizado con manteca de maní derretida. Tenga en cuenta que en invierno, cuando los vegetales verdes no son tan fáciles de cónseguir, usted puede sustituirlos por un plato de legumbres.

■ Cena

Un plato de compota de manzanas y ciruelas con requesón, o bien, plátanos pisados con miel.

SEGUNDA QUINCENA

■ Almuerzo

1 manzana asada. Una ensalada como la de la primera quincena, acompañada con pan integral de centeno tostado.

■ Cena

Un vegetal guisado o al horno, acompañado de una ensalada compuesta de apio, pepinos y coles.

TERCERA QUINCENA

■ Almuerzo

Frutas de una sola clase, la cantidad que desee. Continúe con un vegetal cocido.

■ Cena

Ensalada –como la sugerida en el primer menú–, acompañada de un vegetal cocido y otro crudo.

CUARTA QUINCENA

■ Almuerzo

Frutas, como en los casos anteriores.

■ Cena

Frutas frescas de estación, crudas o cocidas. Continúe con una ensalada tal como en los casos anteriores.

«el movimiento físico
es, sin duda,
el mejor sistema
para activar el equilibrio
del conjunto»

Importancia del ejercicio físico y los baños

EJERCICIO FÍSICO

Durante el proceso de readaptación metabólica, el movimiento físico es sin duda el mejor sistema para activar el equilibrio del conjunto. Obviamente no es necesario que usted se apunte a un gimnasio y realice un exceso de actividad. El simple hecho de caminar o nadar durante veinte minutos al día, como mínimo, ya es más que suficiente. Si no le agradan estas actividades, una interesante forma de ayudarse consiste en hacer unos cuantos estiramientos del cuerpo cada mañana durante el mismo período de tiempo.

BAÑOS RELAJANTES

Los baños, por su parte, son aconsejables tomarlos siempre después del período de movimiento a fin de relajar los músculos. A la hora de elegir por qué tipo de baño optar, busque en las casas de aromaterapia la esencia que más le convenga. Pero si bien las hay de todo tipo, las más recomendables serán sin duda las relajantes o tonificantes. Mientras lo disfruta, sienta como sus células muertas son arrastradas por el agua, tanto como el mucus sobrante lo está haciendo gracias a su dieta.

Con esta dieta, se dará cuenta de la gravedad que representa el acumular toxinas, a medida que las vaya eliminando, por lo que los baños y el ejercicio son, en este sentido, de gran ayuda. El concepto de que el ser humano funciona como una integridad psicológica, física y emocional, constituye el primer principio en que se fundamenta esta dieta, donde las predispociciones emotivas están directamente ligadas a cómo funciona el organismo.

Aspectos positivos de esta dieta

Se trata de una dieta muy desintoxicante y purificadora del organismo. El adelgazamiento va siempre acompañado de una sensación de bienestar, si es que usted aprende a nivelar su mayor o menor pérdida de mucus.

El concepto de enfermedad

Para el profesor Arnold Ehret –al igual que para las medicinas holísticas–, el nombre que le damos a las enfermedades no es más que una nomenclatura determinada por cierto número de síntomas. Sin embargo, un concepto más globalizador y unitivo del ser humano permite reconocer que se llega a tal o cual enfermedad –en este caso, por ejemplo, la obesidad–, cuando existe un desequilibrio en el conjunto de la persona. Ehret llama a esto constipación, donde cada persona padece de un modo u otro cierto tipo de taponamiento mucoso dentro del sistema, lo que repercute en todo el individuo. El elástico sistema tubular, que es ni más ni menos que el cuerpo humano, al no expulsar inteligente y cuidadosamente el desecho, enferma según los propios patrones de su ritmo metabólico. En suma, si usted decide seguir esta dieta notará una gran mejoría en muchos niveles, más allá de los hasta ahora preocupantes kilos de más.

«se llega a la obesidad cuando existe un desequilibrio en el conjunto de la persona»

Aspectos negativos de esta dieta ☹

Usted puede sufrir una alta pérdida de líquidos orgánicos. Si no se siente capaz de evaluar por sí mismo los niveles exactos de dicha pérdida, lleve un control –por medio de analíticas– respecto de las correctas proporciones de sales minerales y vitaminas.

La dieta intuitiva

Si el nombre de esta dieta le suena raro o revolucionario, más revolucionarios son todavía sus resultados –alta y científicamente comprobados– y la conmoción e interés que ha despertado en todo el mundo.

Para comprender en qué consiste la dieta intuitiva usted deberá romper previamente con ciertos conceptos que, en la actualidad, parecen ser los únicos capaces de sustentar cualquier tipo de régimen alimenticio.

En primer lugar, usted podrá llevar a cabo esta dieta sólo cuando haya dejado de lado la idea de seguir constantemente un sistema de adelgazamiento tras otro y recupere el compromiso ante sí mismo de comer con intuición, con lo que habrá logrado salir de la prisión de las fluctuaciones de peso y de la obsesión por comer.

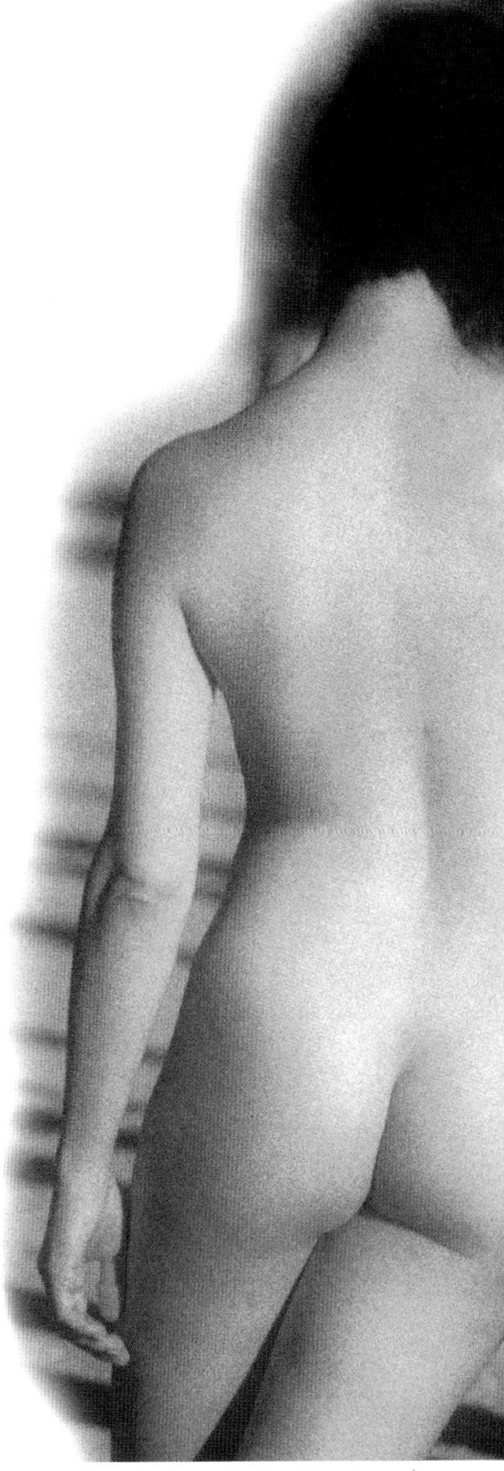

Principios de la dieta intuitiva

RECHACE LA MENTALIDAD DIETÉTICA

Despréndase de libros y revistas que le ofrezcan el perder peso con rapidez y excesiva facilidad. Enfádese con la mentiras que la hicieron sentir una fracasada cuando una dieta le dejaba de funcionar. Permítase la esperanza de comenzar un régimen distinto: el comer con intuición.

HAGA CASO DE SU HAMBRE

Mantenga bien alimentado y con energía su cuerpo, incluyendo los hidratos de carbono. Piense que si usted se priva de comer estos últimos, puede sufrir un «ataque» de comer en exceso. El hecho de aprender a detectar la señal biológica del hambre, tanto como del tipo de comida que se desee llevar a la boca, es el primer gran paso para lograr confianza tanto en usted mismo como en la comida: ¡Ella no es su enemiga!

RECONCÍLIESE CON LA COMIDA

Regálese el placer de dejar de luchar con los alimentos. Ellos están allí para que usted se sienta bien con ellos. Piense en esto: cada vez que usted se priva de un alimento se condiciona a revivir intensas sensaciones de privación que, después de un brevísimo tiempo, se transforman en anhelos incontrolables de atiborrarse de comida.

¿O es que no ha padecido el llamado síndrome de la Ultima Cena y, después de haber ingerido esas grandes cantidades, una sensación de «culpabilidad» se ha apoderado de usted?

DESAFÍE LA «POLICÍA ALIMENTARIA»

Esto es, ni más ni menos, que saber decir «**NO**» a aquellos pensamientos que la identifican como «buena», cuando come menos de 1.000 calorías diarias, y «mala», cuando ha ingerido algún alimento que, según usted, es extremadamente prohibitivo.

Porque la *policía alimentaria*, no es otra cosa que su propia voz interior, la que usted misma ha creado a lo largo de los años según falsas reglas, cuando entonces seguía una u otra dieta.

SIÉNTASE LLENA

Debe aprender a hacer caso de su cuerpo cuando recibe las primeras señales de que no tiene hambre. Mientras come, acostúmbrese a detenerse un momento para averiguar el sabor de la comida que tiene en su paladar y detectar en ese instante cuál es su nivel de saciedad.

DESCUBRA EL PLACER DE LOS ALIMENTOS

Muchas veces, por el deseo de permanecer delgada, tal vez se ha acostumbrado a privarse de la experiencia de comer o del placer que producen los alimentos.

Tenga en cuenta que si usted come lo que desea, en un ambiente agradable, muy pronto se sentirá satisfecha, con lo que reconocerá necesitar mucha menos comida de la que hasta ahora creía.

AFRONTE SUS ESTADOS EMOCIONALES SIN UTILIZAR LA COMIDA COMO ESCAPE

En verdad, muy pocas veces nos detenemos a pensar cuántas alternativas más seductoras existen para distraerse, consolarse, o resolver los problemas.

La ansiedad, el aburrimiento, la soledad y la cólera, constituyen emociones que todos los seres humanos hemos experimentado alguna vez en nuestra vida.

Sin embargo, cada uno de estos «estados» tiene su forma propia en que necesita ser canalizado y, como es lógico, la ingestión de comida no es más que un modo «pasajero» de solucionar el problema. Se trata de un escape, una falsa y engañosa solución.

RESPÉTESE, RESPETANDO SU CUERPO

Igual que una persona que calza el número 43 jamás podrá llevar unos zapatos de la talla 40, igual de inútil será no respetar el tamaño de su cuerpo.

Las actitudes críticas que usted se ha encargado de creer respecto de su constitución son el mejor caldo de cultivo para que se sienta mal consigo misma en varios aspectos. Una actitud realista le ayudará no sólo a sentirse mejor sino que, además, le permitirá trabajar sobre su persona a muchos niveles; por ejemplo, a aprender a detectar su nivel se saciedad.

NOTE LA DIFERENCIA

Al realizar ejercicios, olvídese de si logra o no los resultados. Desplace su centro de interés al modo en cómo se mueve su cuerpo. Tenga en cuenta que si su única motivación para «moverse» consiste en perder peso, muy pronto desistirá al ver que, posiblemente, ya no se siente motivada.

EL MEJOR MODO DE RESPETAR SU SALUD ES UNA SUAVE NUTRICIÓN

Si elige alimentos respetuosos con su salud –sin exigir en ningún momento que la dieta sea perfecta–, notará progresos más visibles que si se restringiera por completo. Porque lo importante es cómo usted evoluciona en su nutrición, o cuánto come, cosa que nunca logrará siguiendo dietas que proporcionan deficiencia nutricional.

¿Cuánto tiempo puede seguir esta dieta?

Obviamente, si usted logra conocer cuáles son sus verdaderos gustos, qué le apetece comer en un momento determinado, y detectar su nivel de saciedad: usted tiene en sus manos una dieta ¡para toda la vida! Porque se trata de un hábito alimentario que parte de un profundo conocimiento sobre usted mismo.

Cómo aprender a comer con intuición

Antes que nada, usted debe considerar muy seriamente que **comer con intuición no es lo mismo que realizar una dieta**.

En efecto, quienes siguen un régimen suelen sentirse, a menudo, frustrados. Mucha gente, al seguir una u otra dieta, comienza a sentirse crítica consigo misma, abandonándolas durante un día, un fin de semana, o incluso, para siempre.

Obviamente, el comer con intuición es un proceso y, como tal, incluye altibajos. Para dar un ejemplo, es algo similar a invertir en un fondo de pensiones pero a largo plazo.

Si usted ha buscado hasta ahora sólo un resultado final a corto o mediano plazo, lo único que ha conseguido es sentirse cada vez más desanimada y abrumada, saboteando así el proceso.

A continuación, le describiremos el proceso de las cinco fases del aprendizaje que usted deberá realizar para convertirse en una persona que sabe comer con intuición.

Fase 1 PREPARACIÓN

El tocar fondo con la dieta, el saber que cada intento se ha transformado en un rotundo fracaso, el ver que la báscula muestra un aumento de uno a cinco kilos (si es que ha comido el día anterior en exceso), hace que usted dedique gran parte de su tiempo a pensar en la comida.

Esto sucede porque usted ha perdido contacto con su apetito biológico y con las señales de saciedad. Ha olvidado aquello que realmente le gusta comer, ingiriendo sólo aquello que, a su entender, «debería», desarrollando así mensajes negativos respecto de la comida.

Sin embargo, esta fase continuará hasta que usted no reconozca que este modo de pensar la hace infeliz. Comúnmente, en esta fase, la primera tentación que aparece es encontrar un nueva dieta mágica que solucione todos sus problemas; aunque si usted es capaz de reflexionar sobre sus pensamientos negativos, de inmediato se dará cuenta de que eso constituye un error, con lo que estará entonces preparada para comenzar a comer con intuición.

Fase 2 EXPLORACIÓN

Se trata aquí de una fase de descubrimiento: del hambre, las preferencias gustativas y la saciedad.

Imagine que usted está aprendiendo a conducir un coche. La hiperconsciencia es necesaria para controlar todos y cada uno de los pasos. Del mismo modo, su atención ahora se centrará en observar cada detalle a la hora de comer.

Sin embargo, aunque la hiperconsciencia puede parecer obsesiva a primera vista, ésta se diluye apenas usted ha experimentado el acto de comer, tal como cuando se

«tal vez lleve mucho tiempo sin probar aquellos alimentos que realmente le gustan a causa de las sucesivas dietas prohibitivas que ha seguido. Ahora, al comer con intuición no necesita comer de más y podrá volver a comer lo que desea»

Aspectos positivos de esta dieta

Al tratarse más de un conocimiento profundo, que de un plan dietético determinado, es usted quien pone las pautas y quien ejercita el hábito de «comer intuitivamente». Como no existen aquí problemas con alimentos restrictivos, si usted logra equilibrar el tipo de sustancias que ingiere, no necesita tener en cuenta ninguno de nuestros consejos.

adquiere el hábito de conducir. Cosidere seriamente esta fase ya que será aquí donde usted hará las pases con los alimentos. En primer lugar, otórguese permiso para ingerir los alimentos que desee. Recuerde que aunque esto la asuste, es el único modo de deshacerse totalmente de cualquier culpabilidad, logrando así descubrir la satisfacción, la sensación de plenitud, necesarias para descubrir la ventaja fundamental de esta dieta.

No olvide clasificar cuáles son aquellos alimento que realmente le gustan y cuáles no. Muchos de ellos, tal vez lleve sin probarlos mucho tiempo a causa de las sucesivas dietas que ha seguido.

Aprenda a respetar su nivel de saciedad, sus gustos y las señales que le envía su cuerpo. Tenga en cuenta que también podrá recibir, en este sentido, ciertas señales emocionales que pueden desencadenarle un irresistible afán por comer. Busque entonces su sensación de plenitud.

Fase 3
CRISTALIZACIÓN

En este período es cuando usted creará realmente su propio estilo de comer con intuición, ya que aquí quedará grabado todo lo aprendido durante la fase anterior. Ya no necesitará de la hiperconsciencia, la elección de los alimentos, tanto como las respuestas a las señales biológicas, le resultarán muy intuitivas.

La seguridad en sí misma es también algo que usted podrá comprobar en esta fase, ya que verificará constantemente «su derecho» a comer lo que desea. Al respetar su apetito, reconocerá muy fácilmente cuál es su sensación de hambre, lo que le proporcionará el placer de haberse reconciliado con la comida.

Fase 4
COMER CON INTUICIÓN

Su estilo de comer en esta fase ya es cómodo y fluido. Elige aquello que realmente desea saborear sólo cuando tiene hambre. Del mismo modo en que usted come más cuando tiene apetito, usted deja de hacerlo cuando ya se ha saciado.

Como puede observar, lo inteligente de esta dieta es que **no necesita comer de más**, ingiriendo de este modo solamente aquellos alimentos que son de su preferencia. Pero ¡cuidado!, otra de las ventajas de comer con intuición es que usted eliminará paulatinamente de su dieta aquellos alimentos que la hagan sentir pesada. Usted ya sabe a estas alturas que los antes denominados «alimentos prohibidos» están ahora a su alcance. El chocolate, por ejemplo, está al alcance de su mano tanto como el melocotón. De todas formas, cada vez que ingiera alimentos más pesados, como se sentirá satisfecha más rápido, menor será la cantidad ingerida de comida. Verá cómo los mensajes que usted creía acerca de sí misma, de su cuerpo, del principio de placer-displacer, han cam-

Aspectos negativos de esta dieta

Puede suceder que, al desconocer en un comienzo sus niveles de saciedad, usted ingiera más alimentos de los necesarios. Si bien esto también forma parte del proceso de conocerse a usted mismo, puede que se desilusione, lo que indicaría que no ha comprendido bien en qué consiste la dieta. En ese caso, le sugerimos que la relea atentamente.

biado por completo, sencillamente porque ya ha dejado de sentirse enojada con su cuerpo.

Fase 5
EL PLACER

En esta fase, obviamente, usted ya no se sentirá culpable de lo que desea comer; tampoco de la cantidad que ha decidido ingerir. Sin ninguna tensión emocional, usted ya ha aprendido a disfrutar de la experiencia del comer. El ejercicio y la nutrición ya han adquirido para usted otras connotaciones muy diferentes a como antes los consideraba. En esta fase, su peso ya estará disminuyendo de modo natural y equilibrado.

Secretos de la dieta intuitiva

«una de las ventajas del comer con intuición es que usted eliminará paulatinamente de su dieta aquellos alimentos que le hagan sentir pesado»

Proceso equivocado

Cuando usted sigue una de esas dietas prohibitivas, el proceso por el que pasa es el siguiente:

1. **Deseo**: estar delgada.
2. **Propósito**: haré un dieta.
3. **Autocontrol excesivo.**
4. **Perdida del control** y deseo de comer (con lo que lo hace en exceso).
5. **Fracaso**: he recuperado el peso perdido.

Para desprenderse de este «torturante» ciclo que parece interminable, es necesario adquirir una nueva forma de estructura de pensamiento. Si, por ejemplo, usted se compra un electrodoméstico que le funciona mal, no necesita que nadie le diga que debe cambiarlo por otro. Lamentablemente, eso lo ha aprendido sin darse cuenta porque, de un modo u otro, los mensajes publicitarios insisten una y otra vez en que usted debe cambiar siempre por lo mejor. En el caso de las dietas, por el contrario, todas se publicitan como mágicas y, al mismo tiempo, prohibitivas. En este sentido, el cambiar el modelo de pensamiento por algo mejor, como lo es una dieta que depende sólo de su intuición, puede ser muy beneficioso en muchos campos, hasta –como se ha visto– el emocional. Para poder cambiar su estructura de pensamiento, usted debe seguir los siguientes pasos:

PASO 1
Reconocer y admitir que los regímenes continuados y variados causan daño, tanto en el plano biológico como en el emocional

Se ha demostrado que quienes siguen una u otra dieta, indiscriminadamente, padecen efectos orgánicos y emocionales crónicos tales como:

- Retención de grasas.
- Lentitud para perder peso.
- Aumento de las ansias de comer.
- Aumento de muertes prematuras y riesgo de enfermedades cardíacas.
- Atrofia de las señales de saciedad.
- Cambios en la forma corporal.
- Trastornos metabólicos.
- Estrés.
- Sentimientos de fracaso.
- Pérdida de control para regular la ingestión de alimentos.
- Falta de seguridad en sí mismos.

PASO 2
Saber en qué consiste la mentalidad dietética

Debe olvidarse para siempre de conceptos tales como voluntad, obediencia y fracaso. La «fuerza de voluntad» nada tiene que ver con el comer con intuición. Tampoco nadie tiene porqué decirle lo que usted «debe» comer. Las reglas impuestas por una dieta siempre generarán en usted un desafío. Recuerde que sólo usted es quien debe franquear el camino hacia su nutrición. Por esto, al comer intuitivamente, usted no sentirá tampoco la sensación de fracaso que, hasta el momento de comenzar esta dieta, la ha acompañado.

PASO 3
Liberarse de todas las herramientas de la dieta

Usted sabe que, una de las primeras cosas que deberá hacer es dejar de consultar la báscula, dejar esa otra forma de autocastigo y dependencia que tiene que ver más con variables de peso naturales –y necesarias para un organismo tan castigado– , que con el peso en sí. La báscula es un falso ídolo al que usted ha estado muy acostumbrada a rendirle tributo. Esos «números buenos» –tanto como los «números malos»–, pueden desencadenar, inesperadamente, un comer en exceso que, como hasta ahora se había demostrado usted misma, resultaba casi imposible de controlar.

Si usted considera que son infinitos los factores que pueden influir en el peso de una persona –piense que, por ejemplo, dos tazas de agua pesan casi medio kilo–, la aguja de la báscula puede fácilmente aumentar. Por lo que cada vez que la aguja sube o baja, es en la mayoría de los casos el resultado de un cambio de fluidos, ligado muchas veces al alto contenido de sal de los alimentos.

« la fluctuación de la báscula está ligada muchas veces al alto contenido de sal de los alimentos»

«restringir la variedad de alimentos no es beneficioso desde el punto de vista metabólico»

Estudios sobre el hambre

El hambre primigenia –que a veces muchas personas sienten– se halla condicionada, en algunas ocasiones, por el terror a padecerla incluso a las pocas horas de haber acabado de comer. Se ha comprobado, por ejemplo, que en épocas de desastres sociales la posible falta de alimentos, genera una especie de obsesión colectiva por temor a su escasez. Sin embargo, esto no sólo ocurre a quienes se han visto atrapados por una situación de crisis social. Quienes siguen alternativamente una y otra dieta pueden reflejar un comportamiento similar. El impulso del hambre –que responde a una relación mente-cuerpo– jamás puede ser frenado por un período importante de tiempo sólo a fuerza de voluntad. Interesantes estudios han demostrado en este aspecto que restringir la variedad de alimentos no es beneficioso desde el punto de vista metabólico, además de tener en cuenta que complejos mecanismos tanto biológicos como psicológicos activan en esos momentos las ganas de comer. Más aún, a mayor privación de alimentos, existe una mayor preparación biológica del organismo para el momento de la ingestión.

Algunos de esos síntomas son:

1 **Aumento de la producción de saliva.**
2 **Afán de ingerir.**

También hay que tener en cuenta que la privación de alimentos tiene «su resaca», y que el efecto rebote de ésta puede ser mucho peor: al no ingerir determinados alimentos por creer que ellos son dañinos para el organismo, se evocan –inconscientemente– sentimientos de privación, cosa que lleva tarde o temprano a satisfacer el placer por medio de un atracón de comida. Sin embargo, el «efecto rebote», es decir, el comer en cantidad, no siempre se realiza abriendo el frigorífico y echando mano a cuanto hay a la vista o preparando una suculenta comida. Existen formas muy sutiles de realizar este atracón de comida de un modo más paulatino y mucho menos visible.

Si usted cree que ha entrado en esta fase por algún motivo, respóndase las siguientes preguntas:

1 Cuando comparte un trozo de postre o un plato de cerezas, por ejemplo, ¿come más rápido que la otra persona por miedo a que se acabe la ración?

2 ¿Qué hace cuando se entera que se dejará de fabricar su marca predilecta de chocolates, cereales, etc.? ¿Se encarga de tener en casa una buena cantidad de ellos?

3 ¿Le sirve la excusa de estar deprimida para permitirse comer lo que usted considera «malo» cuándo y cómo quiere?

Si ha contestado afirmativamente a estas tres preguntas, recuerde la siguiente regla:

Cuanto más tiempo permanecen prohibidos los alimentos, tanto más seductores resultan.

Pautas a considerar

Éstas son algunas de la pautas que usted deberá permitirse considerar y reflexionar sobre ellas:

1 Los dulces no son malos.
2 Puedo ingerir alimentos a partir de las seis de la tarde si me apetece.
3 Puedo ingerir grasas si lo deseo.
4 Las legumbres no engordan.
5 Pudo desayunar y después comer si me apetece. No tengo por qué privarme de ninguna comida.
6 El pan no engorda.

Dos ventajas de comer intuitivamente

La clave para recuperar el nivel de saciedad siempre se basa en darse permiso para comer lo que le apetezca. ¿Cómo podría dejar de comer un alimento que se ha prohibido durante meses y que ahora lo tiene ante sí? Si usted no se priva de ningún alimento detectará de inmediato la sensación de satisfacción en su estómago, con lo que no necesitará sentirse lleno.

Para detectar más sus señales, deténgase a comprobar el sabor, el aroma, o si desea seguir comiendo. Al acabar de comer, reflexione sobre su nivel de saciedad durante esa comida. Descubra el factor satisfacción en todo este proceso.

Comer con intuición significa conocer las reacciones surgidas directamente del estómago. Todos hemos nacido con esa capacidad, aunque se nos haya reprimido a lo largo de nuestra vida.

He aquí dos grandes ventajas de la dieta intuitiva:

1 El ingerir alimentos que nos apetecen sólo cuando se detectan las primeras señales del hambre genera, no sólo un bienestar general sino que también se produce una menor ingestión de comida al dejar de comer cuando aparece la primera señal de saciedad.

2 Rescatar la capacidad innata de percibir cuándo tenemos hambre y cuándo nos sentimos llenos, resulta de un valor incalculable para adelgazar o mantener un peso estable. El método consiste en, a mitad de una comida, por ejemplo, detenerse unos segundos para detectar si realmente ya está llena.

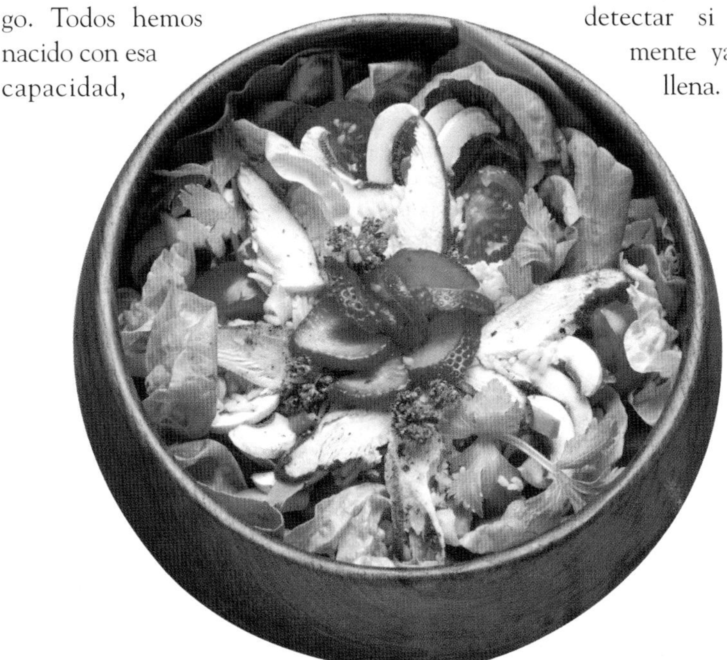

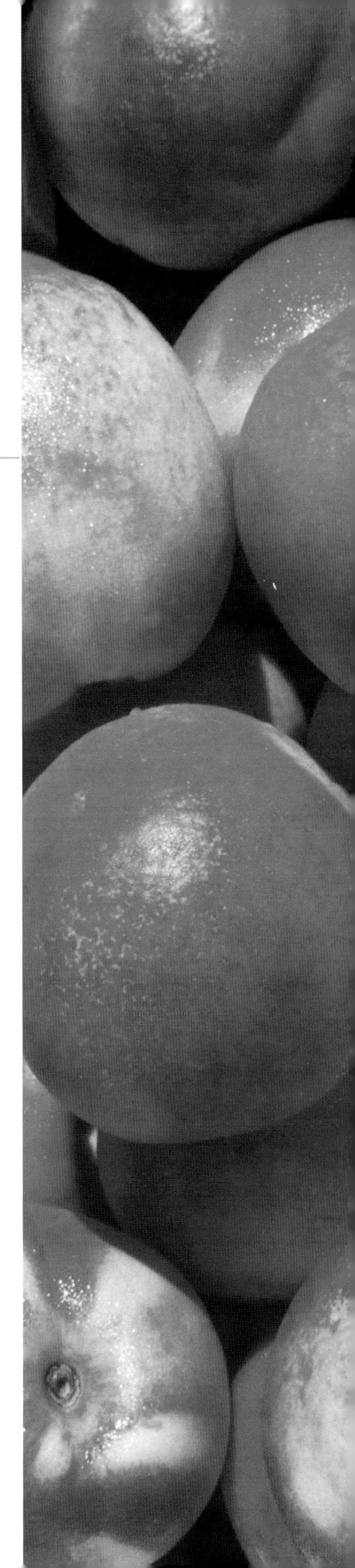

POWER BURST
ON
OFF
ICE CRUSHER
LOW

Bibliografía

DIETAS EN GENERAL

CORMILLOT, ALBERTO: *La dieta del 2000. Alimentación, salud y recetas*, Paidós, 1992.

LAJUSTICIA BARGASA, ANA Mª: *Dietas*. Plaza y Janés, Barcelona, 1978.

MASSON, ROBERT: *Mitos y falsedades de los regímenes clásicos y de las dietéticas naturales*, Editorial Paidotribo,, 1996.

MOORE LAPPÉ, FRANCES: *Dietas para la salud. Sepa comer bien y vivir mejor*, Bruguera, 1979.

ADELGAZAMIENTO EN GENERAL

BERDONCES, JOSEP LLUÍS Y ROSA BLASCO: *El método naturista para adelgazar. Guía dietética y menús integrales del Curhotel Hipócrates*, Integral, Barcelona, 1998.

FRICKER, DR. JACKES: *Cómo perder peso sin hacerse la vida imposible. Guía para una dieta equilibrada*, Círculo de lectores, Barcelona, 1996.

ORTEMBERG, ADRIANA: *Adelgazar es natural. La guía fácil para perder peso ganado salud y vitalidad*, Océano Ambar, Barcelona 2001.

TERRASS, STEPHEN: *Control de peso. Mejore su salud con la dieta*, Tutor, Guías de salud, Madrid, 1995.

VV.AA. *Adelgazar con salud. Cómo conseguir sin riesgos el peso ideal*, Cuerpomente, Barcelona, 1997.

AYUNO Y CURAS DEPURATIVAS

BUCHINGER, MARÍA: *El ayuno terapéutico. El método Buchinger para la salud del cuerpo y del espíritu*, Integral, Barcelona, 1998.

FARQUHARSON, MARIE. *Curas depurativas. La desintoxicación natural. Programas efectivos para purificar y rejuvenecer el cuerpo y la mente*, Océano Ámbar, Barcelona, 2000.

LUTZER, HELLMUT Y HELLMUTT MILLION: *Ayuno II. Dietas con frutas y ensaladas para después del ayuno*, Integral, Barcelona, 1990.

LÜTZNER, DR.H.: *Rejuvenecer por el ayuno. Guía médica para que usted mismo pueda hacer un ayuno*, Integral, 1986.

MÉRIEN, DÉSIRÉ: *Ayuno y salud. El método suave de las etapas*, Puertas abiertas a la Nueva Era, Palma de Mallorca, 1979.

SER, ENRIC: *Ayuno controlado. Técnicas de ayuno y semiayunos curativos*, Editorial IBIS, 1994.

LA COMBINACIÓN DE ALIMENTOS

ÁVILA, JOSE ORIOL: *Reglas de compatibilidad de los alimentos*, Centro de Estudios Naturistas, Barcelona, 1999.

COMPANYS, ANTONI: *La combinación de alimentos. Todas las combinaciones correctas, incorrectas y neutras de los alimentos más habituales*, Tikal Ediciones.

DALLA VIA, GUDRUN: *Las combinaciones alimenticias. La asociación correcta de los alimentos en la comida natural: base de una verdadera y sana dieta*, Editorial Orbis, colección «Mandrágora» 1990.

FURER, BERTA R. *La comida natural compatible*, Torres Agüero Editor, Buenos Aires (Argentina), 1991.

GRANT, DORIS Y JEAN JOICE: *Alimentos incompatibles. Toda la información sobre los alimentos compatibles y las combinaciones perjudiciales*, EDAF, Madrid 1987.

MAFFEI, FRANCA: *Guida alle combinazioni alimentari, suplemento de Demetra alimentazione & salute*, 15 (septiembre 1991), con recetas vegetarianas a cargo de Walter Pedrotti.

SPONG, TIM Y VICKI PETERSON: *La combinación de los alimentos. Un programa para ser más dinámico, perder peso y ganar en vitalidad*, Robin Book, Barcelona, 1995.

DIETA DEL DR. ROBERT C. ATKINS

ATKINS, ROBERT C.: *La revolución dietética del Dr. Atkins*, Grijalbo 1976.

—: *La revolución de la salud*, Grijalbo Mondadori 1989.

—: *Los vitanutrientes*, Grijalbo Mondadori 1999.

—: *La nueva revolución dietética*, Suma de Letras, 2001..

GARE, FRAN Y HELEN MONICA: *El libro de cocina de la dieta del Dr. Atkins*. Introducción a cargo del Dr. Atkins, Ediciones Grijalbo, 1976.

VV.AA.: *Nueva guía del contenido de Hidratos de Carbono*, Planeta, Barcelona.

DIETA DE COMBINACIÓN DE ALIMENTOS DEL DR. HERBERT M. SHELTON

SHELTON, HERBERT M.: *Las combinaciones de alimentos*, Nicolás Capo Editor, 1977.

—: *La combinación de los alimentos: un revolucionario programa alimentario que le permitirá comer lo que quiera sin engordar, rejuveneciendo y recobrando salud*, Ediciones Obelisco, 2001.

DIETA «LEAN BODY»

SHEATS, CLIFF: *Perder peso con el programa Lean Bodies*, Ediciones Obelisco, Barcelona, 1997.

DIETA INTUITIVA

TRIBOLE, EVELYN Y ELYSE RESCH: *La dieta intuitiva: vuelva a descubrir el placer de comer y recupere la línea*, Ed. Obelisco, Barcelona, 1997.

DIETA VEGETARIANA

Iniciación al vegetarismo

«Cómo hacer la transicióna la alimentación vegetariana» en *Vital* 3.

«Este mes dejamos la carne roja» en *Vital* nº 4.

«Qué sucede cuando uno dice 'ahora soy vegetariano'?», *Vital* nº 8.

«Regímenes de transición a una dieta más sana» en *Integral* nº 8.

«Reflexiones sobre el vegetarismo» , *Integral* nº 35.

«La alternativa vegertariana» en *Integral* nº 50.

«Legumbre en vez de carne» en *Integral* nº 58.

«¿Tiene futuro el vegetariano?» *Cuerpomente* nº 56.

Vegetarismo en general

AGUILAR, MIGUEL: *La dieta vegetariana*, Ediciones Temas de Hoy, Madrid, 1990.

IBERN, Mª PILAR (GAVINA): *Las 100 recetas más rápidas de la cocina vegetariana*, Barcelona, 2001.

LAMBOLEY, DR. DENIS.: *Cuídate con verduras, frutas y cereales*, Salvat, 1999.

SPENCER, COLIN: *El gourmet vegetariano. El placer de comer con salud integral.*

SUSSMAN, VIC: *La alternativa vegetariana*, Integral especial monográfico.

VV.AA. *Vegetariana. El libro esencial de la cocina vegetariana*, Könemann, 1997.

VV.AA. *Vegetarian Times. Complete Cookbook*, Macmillan, Nueva York, 1995.

VV.AA. *Cocina práctica vegetariana. El arte de la cocina*, Edisan S.A., Madrid, 1987.

Vegetarismo y nutrición

«Hortalizas y salud» en *Vivir con salud* nº 263.

«Errores dietéticos de muchos vegetarianos» en *Integral* nº 67.

Cocina vegana

«Cocina ética vegana» en *Vital* nº 25.

«La opción del veganismo» en *Integral* nº 201.

Menús y recetas vegetarianas

«Alimentación vegetariana. Lo mejor para tus hijos» en *Vital* nº 7.

«Vegetarianos ilustres» en *Vital* nº 8.

«El gourmet vegetariano» en *Integral* nº 156.

«Lasaña vegetal» en *Cuerpomente* nº 32.

«Parrillada vegetal. Sabrosas comidas a la parrilla» en *Cuerpomente* nº 41

«El restaurante vegetariano» en *Cuerpomente* nº 57.

Vegetarismo durante el embarazo y la infancia

«¿Vegetarianos en la escuela?», *Integral* nº 201.

«Menús vegetarianos para el embarazo» *Integral* nº 38.

VALPIANA, TIZIANA y MATILDE PARONA: «El niño vegetariano», *Integral*.

OTRAS DIETAS EN PARTICULAR

BERTRAN, MAGDA: «La dieta asiática de la longevidad» en revista *Vital*, nº 28, julio 2000, págs. 46-49.

BERDONCES, JOSEP LLUÍS, «Las dietas no ortodoxas», en revista *Vital*, nº 27, junio 2000, págs. 42-45.

Páginas web sobre dietas y alimentación sana

DIETAS

http://www.cuerpodiet.com

Cuidados del cuerpo mediante la alimentación y el ejercicio. Dietas para todos los gustos y tablas de calorías y nutrientes.

http://www.dietanet.com

Portal médico sobre nutrición y dietética. Mucha información útil, además de amena y divertida sobre la nutrición, la dietética sin olvidar la cultura popular y la gastronomía.

http://www.dietasonline.com

Web que ofrece la posibilidad de elegir la dieta que más nos conviene: contra el colesterol, dieta baja en calorías, dieta mediterránea, dieta deportiva, etc. Además de muchas recetas sanas.

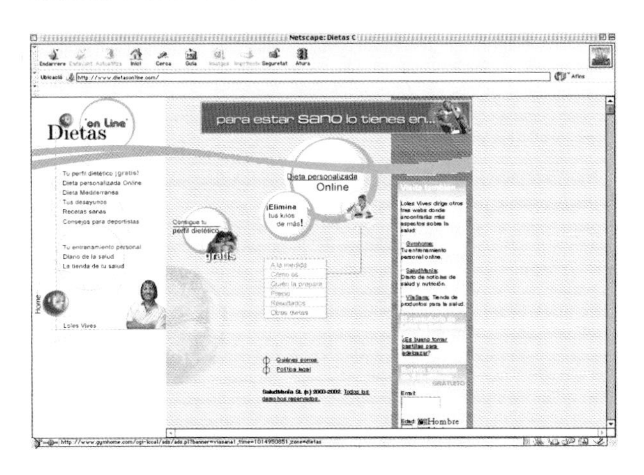

VEGETARIANISMO

http://www.nutriverd.com.ar

Web dedicada a ofrecer recetas sabrosas y argumentos para reafirmar que una dieta vegetariana no tiene por qué ser aburrida. Todos los argumentos para los indecisos. Ventajas y reflexiones sobre la alimentación a base de vegetales, legumbres, huevos y cereales.

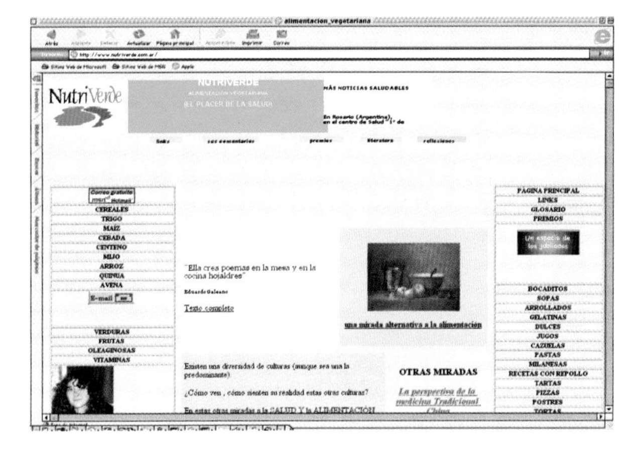

http://www.mundovegetariano.com

Artículos sobre las propiedades nutritivas de los alimentos sanos, recetas, asociaciones y tiendas relacionadas con los productos biológicos.

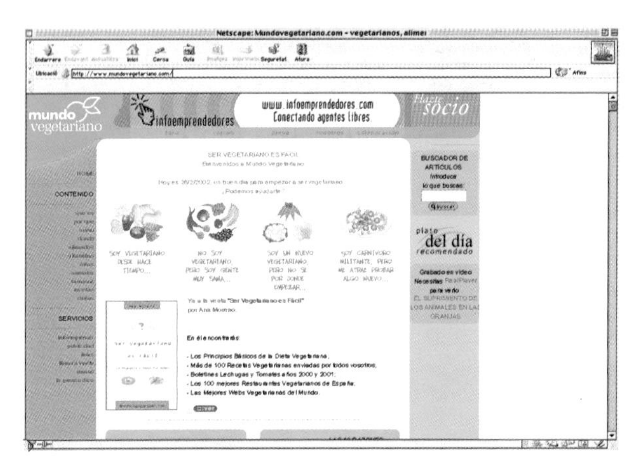

http://www.personal.redestb.es/padobner/links.htm

El porcentaje de personas que se deciden por seguir una dieta vegetarian crece día a día en todo el mundo. Una gran cantidad de links apetitosos y sanos sobre el mundo vegetariano.

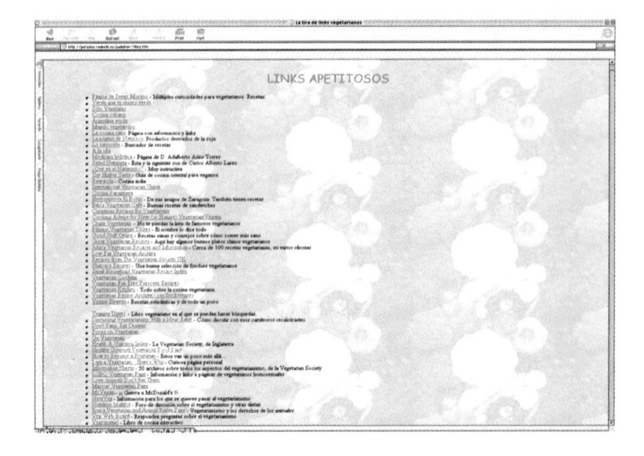

RECETAS, COCINA Y NUTRICIÓN

http://www.cocinadelmundo.com

Más de 1.200 recetas de todo el mundo ordenadas por continentes con información nutricional sobre calorías, propiedades, proteínas, grasas, etc., además de remedios caseros a base de plantas, recetas vegetarianas y cocina fácil pero a la vez sana y nutritiva.

http://www.nutryweb.com

Todo un supermercado sobre el mundo de la alimentación. Se trata, sin duda, de una Web didáctica y bien presentada.

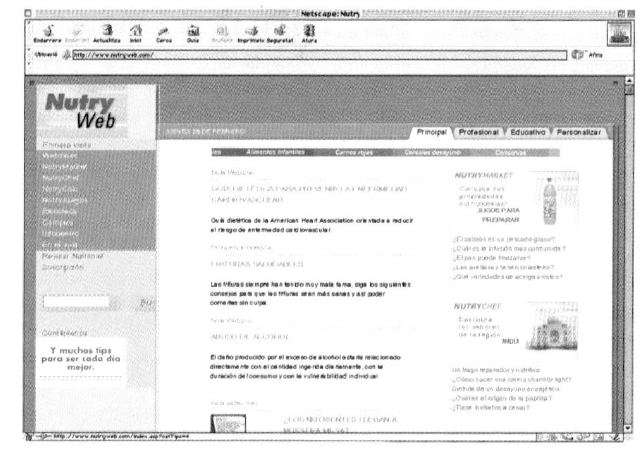

http://members.aol.com/ JLBIGGUY /rp.htm

Se ofrece un programa para gestionar un gran número de recetas de cocina. Además se pueden incluir fotos del menú, variar el número de comensales ajustando las cantidades e incluso un coste aproximado de cada menú.

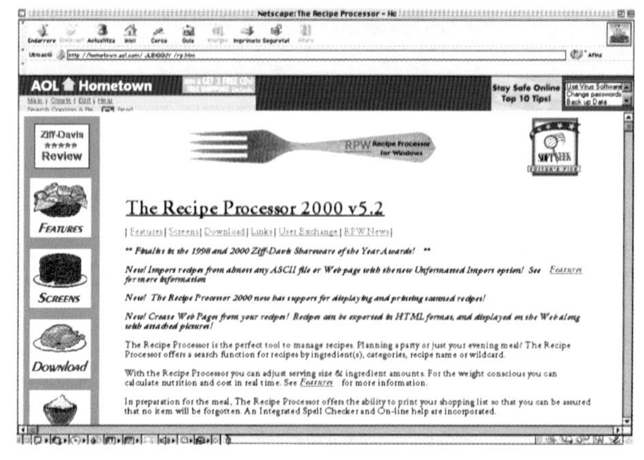

Índice de tablas y cuadros